中日近现代佛教的交流和比较研究

楼宇烈　　主编

宗教文化出版社

前　言

收在这部论文集中的 8 篇论文，从不同的领域和视角探讨了中日两国近现代佛教的交流和比较。但由于原定规模的限制，这几篇论文实际上只涉及了这个问题的极小一部分，并不能全面反映中日两国近现代佛教交流的全面情况，也没有能对中日两国近现代佛教作全面的比较，我们希望以后有机会再继续做下去，也希望有兴趣的同行继续做下去。按原来的计划我应当再写一篇"中日近代佛教研究的相互影响"的文章，但由于事情实在太多一直没能写出来。于是，我就选了一篇旧文"中国近代佛学的振兴者——杨文会"放了进来，一则这篇论文中有相当多的篇幅论述了杨文会与当时日本真宗在净土理论方面的争论，也是一种交流与比较，一则这篇论文的全文在国内也还未正式发表过，借此以广流传。

各篇论文，均按作者原稿发表，未做任何的改动，文责概有自负。

这部论文集是由日本住友财团基金会资助完成的研究项目，原定应于 1995 年完成，然由于种种原因，拖至 1996 年底才基本完成。此后又由于我忙于其它事务，未能及时联系好出版社出版，以至拖延至今。这里我要向各位作者致歉，向日本住友基金会致歉。

1

最后,衷心感谢宗教文化出版社慨然应允出版本论文集。

楼宇烈

2000 年 4 月 29 日

目　录

中日近现代佛教交流概述

楼宇烈

一

中日两国在文化上的交流源远流长,而在佛教方面的交流则自隋唐以来未尝间断过。十九世纪中叶以来,中日两国的国情分别发生了很大的变化,从而在两国的文化、佛教交流方面也出现了一些新的特点。

据一些史书的记述,日本最初接触到佛教大约在公元六世纪初。相传在继体天皇十六年(522)时,中国梁朝人司马达等至日本,"于大和国高市郡坂田原安置本尊,归依礼拜。"[①] 然诚如日本著名佛教史学家村上专精所说,"这还不能作为佛教的正式传入。"[②] 日本学术界较为一致的看法是,佛教大约于公元六世纪中叶由百济正式传入日本,如《日本书记》载,钦明天皇十三年(552)

---

① 《扶桑略记》卷三。
② 《日本佛教史纲》杨曾文中译本,第11页。

冬，"百济圣明王遣西部姬氏达率怒唎斯致契等，献释迦佛金铜像一驱，幡盖若干，经论若干卷。别表赞流通礼拜功德云：是法于诸法中最为殊胜，难能解入，周公孔子尚不能知。此法能生无量无边福德果报，乃至成办无上菩提。譬如人怀随意宝，逐所须用，尽依情，此妙法宝亦复然，祈愿依情，无所乏。且夫远自天竺，爰泊三韩，依教奉持，无不尊敬。由是百济王臣明，谨遣陪臣怒唎斯致契奉传帝国，流通畿内，果佛所记，我法东流。是日，天皇闻已，欢喜踊跃，诏使者云：朕从昔来未曾得闻如是微妙之法。"此后，佛教开始在日本传播，特别是在圣德太子摄政期间(593—622)，经过他的大力提倡和奖励，佛教得到迅速的发展，使佛教在日本扎下了根，并对日本文化发生了深刻的影响。

也就是在圣德太子摄政期间，他于推古天皇十五年(607)派遣使者小野妹子出使中国，求取佛教经论。而第二年再次派小野妹子使华时，更带来了一批留学僧。据《隋书·倭国传》载："大业三年(607)，其王多利思比孤遣使朝贡，使者曰：闻海西菩萨天子重兴佛法，故遣使朝拜，兼沙门数十人，来学佛学。"这也是中日在佛教文化方面直接交流的开始。此后，由隋唐历宋元明清，日本来华求佛法之留学僧史不绝书，同时中国也不断有高僧大德东渡传法。在这一千多年的中日佛教交流中，一些杰出日僧的成就对中国佛教也有相当的影响，但总的说来则是以日本向中国学习为主。然清末以来，由于中国沦为半殖民地，国事多故，佛教衰微，而日本则由于明治维新的成功，国力强盛，佛教适应社会的发展，经过内部改革以及积极向西方学术方法学习，在佛教历史文献研究、史迹发掘考察、经典收集整理出版等方面都取得了令世人瞩目的成绩。因而近百年来，在中日佛教文化交流中，中国佛教界与学术界在许多方面受到日本佛教界和学术界的深刻影响。

或许正是由于清末佛教衰微到了极点，因而蕴发了中国近代佛学的振兴运动。杨文会居士(1837—1911)是中国近代振兴佛学的倡导者、奠基者,他青年时期即笃信佛教,发心弘扬佛法。他在与一些学佛同好切磋佛法时,深感佛教经典的散佚,经版的毁坏,给学习佛法,尤其是传播佛法造成了极大的困难。因此,他们发愿要刻印方册本藏经,以便广为流传。当时即由杨文会居士亲自拟订刻经章程,集合同志者十余人,分别劝募刻经,并于 1866 年创办了金陵刻经处。同时赞助和响应杨氏刻经事业最有力者有郑学川(后出家,法名妙空),在扬州创立扬州藏经院(江北刻经处);又有曹镜初,在长沙创立长沙刻经处等。这几处刻经处,以金陵刻经处为中心,根据统一的刻经版式和校点编辑体例,互相分工合作。

二

中日两国近代佛教的交流,正是从两国的刻经事业开始的。

明清以来,中国佛教各宗派的许多重要经典散佚难求,这是杨文会居士刻经工作中碰到的一大困难。1878 年(光绪四年)杨氏随曾纪泽出使欧洲,考察英法等国的政治、文化、工商业等。在此期间,他结识了当时正在伦敦牛津大学留学的日本净土真宗的学僧南条文雄氏①。此后,约三十年间,两人书信往来不绝,相互访求经典,切磋学问。先是杨文会从南条文雄等处得知,中国许多散佚的佛教重要经典,在日本多有所保存,因而起访求之意。1890 年杨氏内弟苏少坡赴驻日大使馆工作,于是杨氏即通过苏少坡,托

① 南条文雄(なんじょうぶんゆう1849—1927),日本近代著名佛教学者。主要著作有《大明三藏圣教目录》、《校订梵文法华经》等。先是杨氏在上海交日本学僧松本白华,得知南条文雄、笠原研寿等在伦敦,后于伦敦末松谦澄处进一步得知南条文雄等在牛津大学学梵文,于是修书致意。不久,杨氏在末松寓所与南条会晤,连夜畅叙,结下了深厚的友谊。

请南条文雄在日本代为搜集购买中国散佚之重要佛典①。据现存史料可知，杨氏托请南条文雄搜购古佚佛典，主要在苏少坡居日期间（1890—1893）。这期间，杨氏先后开具了四份求购书单，所列书目总计有221种之多。其中，经南条氏各方努力搜集到寄给杨氏的有145种②，此外再加上南条氏及其他日本友人主动赠与的经书，共计约有283种③。杨氏得到这些中国宋元以后散佚的重要经论注疏和撰述后，欣喜不已，立即选刻出来，广为流通。其中包括了华严宗法藏、法相宗窥基、净土宗善导等人的许多重要撰述。这些经典的汇集面世，大大地推进了当时社会上和学术界研究佛学的兴趣，法相唯识学的研究更由此而成为一时之热门。其实，日本高僧大德为中国佛教信徒和学者送经书的并不仅是南条文雄一人，经南条氏的介绍，先后有东海玄虎（后改名为佐藤茂信）、町田久成、赤松连城和岛田蕃根等。此外，在杨文会居士向日本求经之前，南条文雄也曾应沈善登之请求，为他寄来了五部重要的净土经典注疏④。

同时，当明治三十八年（1905）日本京都藏经书院计划刻印《续藏经》时，杨氏亦大力予以赞助。他不仅对《续藏经》初拟目录提出增删意见，并且多方为之搜集善本秘籍，以供采用。他在《日本续藏经叙》中盛赞此举，认为"是辑也，得六朝唐宋之遗书，为紫柏所未见，诚世间之奇构，实足补隋唐所不足也。"又说："予亦为之搜

---

① 杨氏在《汇刻古逸净土十书缘起》中说："顷年四海交通，遂得遨游泰西，遇日本南条上人于英伦。上人名文雄，净土宗杰士也。既各归国，适内戚苏君少坡随使节赴日本，属就南条物色释典，凡中华古德逸书辄购之，计三百余种。"（《杂录》卷三）

② 详见陈继东撰：《清末日本传来佛教典籍考》（《原学》第五辑，1996年7月，中国广播电视出版社）。

③ 南条文雄在《大日本续藏经序》中说："明治二十四年（1891）以后，余与道友相议，所赠居士（杨文会）和汉内典凡二百八十三部。"

④ 这批赠书的时间在1887年5月。详见陈继东撰：《清末日本传来佛教典籍考》（《原学》第五辑，1996年7月，中国广播电视出版社）。

辑,乐观其成。"① 对此,南条文雄在《大日本续藏经序》中也说:"余曾为君(中野达慧)致书于金陵刻经处仁山杨文会居士。居士颇随喜此举,集藏外及未刊之书,邮政以充其材者,或可以十数也。""藏经书院每月未曾误其发行之期,是居士之所以随喜供给其材料也。"从现存史料可知,杨仁山居士应南条文雄和《续藏经》编委会之请,自1905至1906年间在中国先后搜集并寄往日本《续藏经》编委会的佛典计有39种②。日本《续藏经》编辑主任中野达慧在《大日本续藏经编纂印行缘起》中也说:"先是介南条博士,请金陵仁山杨君搜访秘籍,未几又得与浙宁芦山寺式定禅师缔法门之交,雁鱼往来,不知几十回,二公皆嘉此举。或亲自检出,或派人旁搜,以集目录未收之书而见寄者,前后数十次,幸而多获明清两朝之佛典。予每接一书,欢喜顶受,如获赵璧,礼拜薰诵,不忍释手。"由此序可见,为日本《续藏经》收集散佚佛典的中国大德,不只是杨仁山居士一人。今按《续藏经》所附之"随喜助缘芳名录"中所记载的中国方面的随喜助缘者有:南京杨文会翁、浙宁芦山寺式定师、南京德崇师、南京智通师、四川玉崒师、天台敏曦师、金陵空浩师、金陵彼岸师、杭州一愿师、普陀印光师、焦山昌道师、金陵圆音尼、扬州宝来尼、石埭陈镜清君、金陵秦谷村君、怀宁叶子珍君、金陵费蓉生君、长沙曹显宗君、上海汪德渊君、天童寺等。这里,除式定、德崇、智通、汪德渊、天童寺外,都是杨仁会所寄经书的原藏主。此外,杨文会所寄经书的原藏主尚有扬州释观如、金陵释月霞、扬州释清梵、石埭女士明悟、秋浦女士郎宛卿、杭州沈明哉、北京龙泉寺、高邮释普航等为"芳名录"失载。然即此已可见,通过杨文会有不少的中国高僧大德为日本《续藏经》的编撰出了力。

---

① 杨氏此《叙》存于《等不等观杂录》卷三,未收入《大日本续藏经》中。

② 详见陈继东撰:《日本"大藏经报"中杨文会之资料考》(未刊稿,金陵刻经处成立130周年学术研讨会论文稿)。

金陵刻经处的刻经事业和日本藏经书院《续藏经》的编纂,分别是中日两国近代佛教史上的大事,而在这两件佛教文化史上的大事中,中日两国的学者们进行了真诚的合作和交流,这是值得我们永远怀念和发扬的。

三

佛教学术研究方面的交流,也是中日近代佛教交流的一个重要方面。如前所述,日本佛教界自明治维新后即派遣了一批学僧前往欧洲留学,学习梵文、巴利文,以及西方近代学术思想与研究方法,因此在佛教学术研究方面,日本比中国早步入近代学术研究的时期,而且从本世纪初以来对中国的佛教学术研究产生了重要的影响。日本在接受西方学术思想和研究方法的熏染后,对佛教作纯学术研究的风气大增,以至有淡化对佛教作为宗教的修证方面研究的倾向。如东初法师在《中日佛教交通史》一书中说:

"明治以前的日本佛教,乃承继我国佛教研习的风格。明治以后,由于日本接受西方文化,佛教也随之采取西方治学的方法,而以历史进化论的方式、哲学的观念,来衡量佛法。因之,日本佛教学者,视佛学为哲学,视佛像为雕塑的艺术,由于学术的观念太浓厚,便把佛教宗教的气氛,逐渐冲淡。研究佛学的人,对佛菩萨圣像,也就不复有烧香敬礼的行为,更没有力行求证的信心,步步走上学术化、艺术化。我们不反对佛教学术化、艺术化,但学术化、艺术化的成就,毕竟不能代表佛教的生命。佛教的生命,乃寄托在修证。所以今日日本的佛教,显然趋向于学术化和艺术化,却缺少宗教的气氛。"①

东初法师的这番分析是有所见的,它反映了日本明治维新以后日本佛教界在学术研究方面的新面貌和取得的巨大进步。然东初法师批评日本佛教由此而"缺少宗教的气氛"的论断,则似乎需要作进一步的分析。我认为,在日本近代佛教的发展过程中,把佛教学术化、艺术化,是一部分走上以学术研究为主的学僧或学者们的倾向,在这一部分僧侣或信徒、学者中"缺少宗教的气氛"是可以理解的。但是,我们不能以此来概括整个日本近代佛教的面貌,近代日本佛教在广大僧侣和信徒中并没有学术化和艺术化,而仍然是充满宗教气氛的。只是由于明治维新以后日本佛教的更加"世俗化"(人间化和现实化)倾向,因而"力行求证"的高僧难得,而传统意义上的宗教气氛也就显得淡薄了。

这一时期,日本佛教学者在对佛教梵文、巴利文原典、藏文译经的研究,以及汉文藏经的收集、整理、出版方面;在对佛教史迹的考察方面;在对印度古代宗教哲学、印度佛教、中国佛教和日本佛教等方面的研究,都取得了丰硕的成果。其中大部分重要的成果都先后传译到中国,对中国近代佛教研究的发展起了巨大的推动作用。如,在藏经方面,《大正新修大藏经》、《大日本续藏经》等,是一般佛教学者最普遍使用的原典读本。在佛教史迹考察方面,由大谷探险队整理出版的《西域考古图》、《新西域记》,常盘大定的《支那佛教史迹踏查记》,松本文三郎的《敦煌画之研究》等,是研究西域佛教和中国佛教史迹、艺术不可或缺的参考书。在佛教史和佛教思想研究方面,高楠顺次郎和木村泰贤合著的《印度哲学宗教史》,木村泰贤的《原始佛教思想论》,宇井伯寿的《印度哲学研究》、《支那佛教史》、《禅宗史研究》,境野黄洋的《支那佛教史纲》,铃木

---

① 东初《中日佛教交通史》第二十五章第一节"明治时期的趋势"(台湾东初出版社,1970年)。

大拙的《禅宗思想史研究》等,更是研究佛教史和佛教思想的中国学者最重要的参考书。

仅就中国佛教史研究方面来讲,本世纪三十年代以前中国学人所著之中国佛教史,大都脱胎于日本学者的著作。先是有各种翻译书,如最早有楚南沙门听云、海秋于1912年共同译的《三国佛教略史》(日本岛地墨雷、生田得能著于1890年),最有影响的则是1922年慧圆居士为武昌佛学院翻译的《支那佛教史纲》(日本境野黄洋著于1907年)。其后开始出现中国学者自己编写的著作,如在社会上有较大影响,出版于1929年的蒋维乔居士的《中国佛教史》,基本上是境野黄洋《支那佛教史纲》的改写本,当然,其中蒋氏也增加了不少新内容,如补充了北魏石窟造像、北京房山云居寺石经,以及清代至民国时期佛教简史等有关章节①。三十年代以后,中国学人独立研究的佛教史和佛教思想著作增多,其中一些作品对日本学人也颇有影响。如胡适先生的《神会和尚传》和《神会和尚遗集》,尽管其中有不少武断的结论,但其中提出的一些新观点和新方法还是在学术界,包括日本学术界引起了极大的反响。又如,汤用彤先生的《汉魏两晋南北朝佛教史》,更是以其丰富的资料、细致的分析、精辟的论断,被中日两国学者公认为汉魏两晋南北朝佛教史方面的经典著作。

---

① 蒋氏《中国佛教史凡例》言:"是书以日本境野哲所著《支那佛教史纲》为依据。惟原书所引事实,不免错误,讹字尤多,今检阅《正续藏经》,于其错误资格改正之,缺略者补充之。""北魏之南北石窟造像,及隋时静琬所刻之石经,为佛教史上重大事实。原书无一语涉及,今特补叙一章。""历史通例,应详近代。原书于清代之佛教,略而不言,盖以清代佛教材料不易搜集之故,是一大缺点。今于近世佛教史,自清代至民国,特补叙两章。"

四

在中日近代佛教交流史中,两国留学僧的往来也是一件值得注意的事。从现有史料看,近代来华留学日僧中似无特殊者可记,然在中国留日僧中,却有不少对中国近代佛教发展颇有影响的人。又,在近代留日僧中,又以学密教为多,这是一个很鲜明的特点。

密教传来中国有两大支派,一支是由唐代开元三大士(善无畏、金刚智、不空)传入内地的密教,后人统称之为"唐密"。另一支也是在唐代,由莲花生传入西藏等地区的密教,后人统称之为"藏密"。传入内地的密教,在唐中期曾盛极一时,然至晚唐已露衰微端倪。到了宋代,虽尚有法贤、施护、法天、天息灾等一批译师继续译出大量密部经论,然在教理上已无多发明。元代弘传藏密,亦曾盛极一时。明清两代亦尝扶植藏传佛教(藏密),但主要是政治上的考虑,同时,其流传也主要在宫廷和贵族阶层,民间是不得随意传授真言密法的。因此,总起来说,唐密自元代以后,在中国内地基本上是中断了。民国以来,先是广东潮安居士王弘愿于1918年译出日僧权田雷斧所著之《密宗纲要》,其后,权田雷斧又于1924年夏来华,在潮州为王弘愿等传法灌顶,于是密教在内地民间开始流行,大有重兴之势,因而引发了一批学僧学习、弘扬密教的热情。其中,一部分学僧进藏专研藏密,一部分学僧则东渡日本求传唐密。

日本所传密法,都是在唐代由中国传去的,然由于传授师门之不同,到了日本又分为"东密"和"台密"两派。唐时日本空海(弘法)大师来华求学,传不空三藏门下高徒惠果之大法,回日后于高野山建立密宗道场,大弘密教,至今不绝,称为"东密"。而与空海同时来唐求学之最澄(传教)大师,则于天台山国清寺师事道邃大师习天台心法之同时,又从沙门顺晓受灌顶法,习密教,回日后最澄把天台教法密教化,创立了天台密教,一般称之为"台密"。或说空海所传惠果之密法为正统,而最澄所传之台密为旁传。因此,民国时期赴日学僧以学"东密"为主,兼亦有学"台密"者。

当时,学僧中赴日求学密法的很多,先后有大勇、持松、显荫、谈玄等法师。大勇法师于1919年依太虚法师出家,次年于金山寺受具足戒后,赴五台山顶礼文殊菩萨。1921年太虚在北京广济寺宣讲《法华经》,大勇也前来听讲。是时,恰有日僧觉随也在北京弘传密法,他有意邀请太虚大师去日本,以传授密法。然太虚大师无意于此,于是大勇即就此机缘而发愿东渡。大勇于1922年冬入日本高野山密宗大学,专修密法,经一年左右,授阿阇黎位,乃于1923年10月回国。大勇法师本想回国后闭关专修数年,不料才到上海,即为沪杭信徒恳请开坛传法,随即又为武汉信徒请为开坛。据云,仅三、四个月,大勇法师先后在上海、杭州、武汉等地开灌顶坛十余次,皈依及学法者达数百人之多。一时,中绝千年之久的唐密,顿显重兴之势。

持松法师是与大勇法师同时赴日,于高野山依金山穆昭修学密法的。他在得阿阇黎位后,于1924年春回国。先于上海传法,后于是年夏应邀至武汉主持洪山宝通寺,并开坛传法。是年秋,由湖北督军萧耀南发起于宝通寺做《仁王护国般若经》大法会七日,并举行结缘灌顶。在此七日法会中,每日来受法者有数百人,盛况空前。一时,洪山宝通寺,成了唐密重兴之主要道场。

显荫法师于1923年冬到达日本高野山,与持松法师一样,依高野山天德寺穆昭阿阇黎修密法,受灌顶法。次年春回到上海,然仅过半年即因病圆寂了,年仅二十四岁。显荫法师天资聪明,慧解过人,可惜未能展其雄才,骤而英年早逝。

谈玄法师东渡学密,不仅受日密两部曼陀罗灌顶位,更重要的是他带回了两千余种密宗经典,以及不少密宗应用法物。这批密宗经典中,有不少是国内久已失传者,弥足珍贵。

大勇、持松在武汉传授密法的盛况,直接影响了武昌佛学院,当时佛学院内相当多的一批学僧都由此而归向密教。然而,东密的兴盛为时并不长久。1924—25 年间,班禅、白晋仁、多杰尊者等在北京弘扬藏密,一时声势浩大。其时大勇也在北京,于是他依白晋仁学藏密,改宗藏密。从此,东密开始衰微。然即此一度东密之复兴,亦成为近代中日佛教交流史上的一件大事。

五

1924 年,由太虚大师联合各界名流发起建立世界佛教联合会,并于当年夏天在庐山召开筹备会议。在这次会议上欧洲只来了几名代表,东南亚的一些佛教国家则没有代表出席,惟有日本,派出了阵容强大的代表团,其中有日本法相宗长佐伯定胤、东京帝国大学著名佛教学者木村泰贤等。于是,这次会议实际上成了中日佛教会议。在这次会议上中日双方商定,次年(1925)在日本召开一次东亚佛教大会,中国派出代表参加。这两次会议是近代中日佛教界的重要交流活动。

庐山世界佛教联合会后,日本代表团应邀赴上海、南京、北京等地参观访问,受到了当地佛教信众的热烈欢迎。在上海,木村泰贤教授作了题为"大乘特质"的学术报告,重点讲述了法相宗的要义。佐伯定胤大僧正则作了题为"日本所得中国文化影响"的学术报告,主要讲述了佛教由中国经朝鲜传入日本的过程,及日本佛教徒观念变迁等问题。听讲者有二百余人。在南京,日本佛教代表团受到支那内学院师生的热烈欢迎,并于南京毗卢寺召开了欢迎大会,到会者有三百余人。会上,佐伯僧正作题为"唯识浅义"之专题报告,木村教授则作题为"日本佛教之近况"的专题报告。在南京期间,日本代表团还专程访问了支那内学院,对内学院所取得的成绩,极为赞叹。当即以日本法隆寺与东京帝大印度哲学研究室的名义,与内学院签订了交换知识及书籍的协定。同时,又由药师专桥本和尚与内学院签订交换藏文佛典的协议。又,水野晓梅声明捐赠一部《大正藏》给内学院图书馆,并今后互赠图书等。在北京,北京佛教会在大佛寺举行欢迎大会,由佐伯僧正作"法相宗要旨"的演讲。而在北京佛教青年会的欢迎会上,则由木村教授作"佛教与人生"的演讲。

日本佛教代表团回国后,对中国佛学研究的情况也有很好的报导,介绍了内学院、武昌佛学院,以及一些大学中提倡佛学研究等情况,认为中国佛教研究已呈复苏现象,而其中尤以法相学最为突出。由此可见,这次大会有力地推动了中日两国佛教学者之间的相互了解,从而有力地推动了中日两国佛教学者之间的交流。

第二年(1925)十一月,在日本东京召开了东亚佛教大会,中国派出了总计三十人的代表团,道阶和太虚分别担任正副团长。会上太虚作了题为"阿陀那识之研究"的学术报告。会后代表团参观访问日本各地,与各界人士广泛接触,特别是与当时日本佛教学术界的一流学者们,如南条文雄、木村泰贤、高楠顺次郎、渡边海旭、常盘大定等的交流,以及在京都的一次聚会中,日方十多位佛学专家,与中国佛教代表团一起讨论有关佛教中的一些疑难问题,这些都大大地增进了两国学者之间的相互了解。

太虚大师通过这几次与日本佛教学者的交流,以及对日本佛教的实地考察,形成了他对近代中日两国佛教之间的差异,以及各自的优缺点,有了极为深刻的了解和把握。1925年太虚大师在其"敬告亚洲佛教徒"一文中,对中日两国近代佛教的异同和各自的优缺点,作了详细的分析。他认为,中日佛教各自分别有"四短四长"。中国佛教的"四短四长"是：

"利济社会事业及教化社会事业，极不发达，仅有识之徒与群众所生荐亡、求福等斋会经忏关系，短一。诸僧寺虽标别禅、讲相承，有宗派源流之异，但其内容或毫无实际(若禅寺并不参禅等)、或混合，鲜专精之修学(若虽参禅、兼传戒、作经忏等)，短二。习称方外，对于世事视若风马牛之不相及，为治国者所轻视，短三。缺乏科学知识，于代表现代之西洋思想，鲜能了解，呆板陈腐，说法不能应当世之机，短四。其上者能隐遁山林，抖落荣利，岩洞茅蓬，关房禅堂，甘苦淡食，持戒修定，长一。禅净律讲，台贤性相，咸无专主，不严别门户以相排斥，长二。不为国性所拘，今佛教有浃浃独立与世之大风，合于佛教超出世俗之本质，长三。各宗之学理，虽隋唐来已经华学之变化，而未因近世思想文化之变迁，尚能窥见佛教之纯粹真相，长四。"

日本佛教的"四长四短"是：

"佛教徒有团体之组织，能办利济及教化社会事业，长一。各宗有各宗本山、支寺布教所及专门学校，有教育专宗人才及宣传专宗教义之机关，虽博大精深者不多觏，而于本宗宗义大致明白，长二。皆能爱国，为国出力，在国家同视为重要国民，长三。对于代表现代之西洋文化思想，已能充分容受，且能用之研究佛教，以适应现代思想，长四。个人持戒、诵经、习禅等自修，渐为轻视，而坐洞、结茅、闭关，尤绝无行者，鹜外而不重内，短一。偏重各个宗派之系统，而乏佛教全体之统一，甚至十余宗派有裂为十余教之势，虽有佛教联合会之说，仅为各宗派之联络，不能组成一体，为一宗派之利益，时所脱离，短二。为国之心过重，有将佛教作为国家一大机器中之一小机件之势，失佛教超国族而普遍于世界精神，短三。全国学界以科学思想为重心故，佛教徒亦以科学为本，评判佛教之教理，而失没佛法超现代科学之殊胜，不能转科学反为科学转，所讲佛学，往往如水冲败死，殆无乳味，短四。"

进一步，他还认为，中日佛教各自的短长，又恰好能用以互补。因此又说：

"中日两国佛教徒，虽各有短长，但中国佛教之四短，即日本佛教之四长；中国佛徒之四长，又为日本佛徒之四短。所以中日两国佛徒应互相了解，取其所长，补其所短，共同发扬佛教理想。"

太虚大师的分析，未必完全恰当，但确实也抓住了当时中日佛教中各自存在的某些问题和特点。而他希望中日两国的佛教和佛教学者，能有更多的了解和交流，能有更多的相互取长补短，以共同发扬佛教理想的愿望，则正也是我们今天的愿望。事实也是如此，今天中日两国佛教界和佛教学术界之间的交流，无论在广度上还是在深度上，都已远远超过了太虚大师的年代。愿我们两国学者珍惜这一传统，并不断发扬光大之。

日本的印度佛教学研究对中国的影响

姚卫群

佛教是中日文化交流的重要内容,中日两国都很重视对它的研究。印度佛教很早就传入中国,但传入日本则要晚得多,而且是通过中国等国家间接地传入的。因此,在古代,日本的佛教受中国佛教(或中国对印度佛教研究)的影响很大。然而到了近代,情况有很大变化:一方面,中国近代经济上落后,文化建设受其影响,在不少方面停滞不前,佛教研究没有大的起色;另一方面,日本近代在经济上基本处于不断上升的态势,文化建设有良好的物质基础支持,发展很快,佛教研究成绩突出。因此,客观地说,在近代,日本的佛教研究在许多方面是超过中国的,取得的不少成绩是具有世界领先水平的。这已为国际学界所肯定,一般的中国学者是都看到了这一点的。正因为如此,中国的佛学研究界对日本近代的印度佛教学研究极为关注,受日本研究的影响较大。这方面的一些重要表现是:日本近代有关印度佛教研究的著作大量传入中国,这些著作有些译成了汉文,在中国流传。多数虽未译成汉文,但在中国研究佛教的学者中影响很大。日本近代编纂的不少佛教类工具书亦传入中国,在中国的佛学专业工作者中经常被使用,有些在中国学者编纂同类书籍时被借鉴吸收。再有,日本近代佛教学者编纂了不少重要的佛教原典资料书。这些书在中国也很受重视，在中国的佛教研究中起了重要作用。在近现代，中国学者了解日本的印度佛教研究情况还通过直接的人员往来实现：有中国学者亲赴日本学习研究的，亦有日本学者来华直接介绍日本佛教研究情况的。中国学者通过上述这些间接或直接的途径，对日本有关印度佛教学的学术观点和研究方法有许多借鉴。这对中国近现代的佛教研究有重要影响，对中日文化交流起了重要的推动作用。

两个国家的文化交流是双向的，中日佛教文化的交流亦是如此。在历史上，日本佛教主要受中国佛教（或中国的印度佛教研究）的影响。而在近现代，虽然中日两国的佛教研究互有影响，但从总体上说，中国的印度佛教学研究似受日本的此种研究的影响大些。本文所要侧重探讨的是日本在这一领域中的研究对中国的影响。由于日本的这种研究对中国的影响表现在多方面，而笔者了解的情况又有限，因而要全面细致地对此问题进行论述是极为困难的。本文所述仅能是粗略的，特别是列举或叙述的情况很难做到全面。有些是仅介绍笔者所知的情况，有些是仅举出一些典型事例。挂一漏万或评述不当的情况在所难免。但无论如何，笔者还是想尽力将所知情况汇总于此，希望本文能基本客观地对这一问题作出描述，多少有益于中日佛教研究的进一步深入开展。

一、日本的印度佛教研究专著在中国的影响

日本自明治时代末期之后，对佛教的研究逐渐形成了风气。无论是研究印度佛教还是研究中国佛教，都不断取得重要成果，出了不少研究专著。日本的许多著名印度佛教专家在中国是很有名望的，如南条文雄、高楠顺次郎、木村泰贤、宇井伯寿、赤沼智善、山

口益、宫本正尊、金仓圆照、中村元、平川彰等人（当然还有许多其他著名学者，此处不一一列举）。这些学者有些是专门研究印度佛教的，但多数人则同时兼通印度哲学（佛教外的）和中国佛教①。他们的著作在中国有着不同程度的影响（在中国的影响与在日本的影响不一定一致）。有些重要著作在中国广为流传，知名度甚高，对中国的印度佛教研究影响极大；有些著作虽学术价值很高，但限于一些流传条件或某些原因，仅在有限的一些专家学者中使用；还有一些重要书籍在中国一些图书馆有藏书，在一定范围内有影响；再有一类书，中国国内可能没有（或仅极少数中国人有藏书等），但人们通过一些书籍的介绍也有所知。以下对这些著作（不包括原典资料集和辞典类工具书）作一简要介绍：

在现当代中国，知名度较高，流传范围极广的此类著作应首推日本宇井伯寿的《印度哲学史》。该书虽是有关印度古代哲学的通史（论）类著作，但佛教的内容占了相当大的比重（第一期第九、十章；第二期第一、六、十二章；第三期第一、二、三、五、六、七、八、九、十、十一、十五章）。宇井伯寿在该书中提出了有关印度佛教的系统的看法，如印度佛教的历史发展、各主要经典或派别的学说、主要佛教人物的年代等方面的理论。对中国学者影响很大。该书在中国虽无完整的汉译本（就笔者目前所知是如此），但印度佛教方面的内容有许多被中国学者出版的著作引用或参考，如吕澂先生在其所著的《印度佛学源流略讲》中就较重视此书，把它作为国外印度佛教史研究方面的基本参考书之一。他在书中提及宇井伯寿"被认为是日本佛教界的权威"②，在讨论许多问题时提及或参考了宇井伯寿此书中的观点。如有关佛灭年代，他提到了宇井伯寿

---

① 在近现代，日本研究印度佛教一般是与研究印度哲学（佛教外的）和中国佛教一起进行的。因而，有些研究著作或研究论文集这三方面的内容是混在一起的。

② 吕澂：《印度佛学源流略讲》，上海人民出版社，1979年，第4、5页。

的《印度哲学史》中的公元 386 年说是日本有代表性的说法①。李世杰先生在《印度哲学史讲义》中亦把该书(宇井伯寿的《印度哲学史》)列为主要参考书之一②。笔者撰写的《印度哲学》③ 一书中有关佛教的章节中亦参考了不少宇井伯寿《印度哲学史》中佛教部分的内容。此外,中国还有不少研究佛教的学者在著述时也大量参考或引用了此书。除《印度哲学史》外,宇井伯寿的另外几部书在中国的影响也很大,如他的《印度哲学研究》及《佛教经典史》等著作。《印度哲学研究》共六卷,其中包含不少印度佛教研究的文章,论述了许多专题。这些专题很有研究价值,作者有许多独到见解,分析深入,考证有据。这套书的写作时间虽然很早,但许多文章的结论或分析直至今天仍是无懈可击的,形成了学术界的定论,在中国的佛教研究界影响很大。中国学者中系统论述印度佛教史的人很少不参考这套著作。如吕澂先生在其著述中就较重视这套书,曾加以参照④。黄心川先生在研究有关印度佛教的内容时也很重视宇井伯寿的这套书。他在其所著的《印度哲学史》一书里有关佛教的章节中就曾引证宇井伯寿《印度哲学研究》第一,第 335 页中的内容(详见本文第三部分)。笔者在研究印度佛教的有关问题时亦经常参阅宇井伯寿的这套著作,觉得受益匪浅,深感它们是从事印度佛教研究者的必备参考书,不少内容可使我们的研究少走一些弯路。宇井伯寿所著的《佛教经典史》一书亦是一部在中国有一定影响的书。如黄心川先生在《印度哲学史》一书中介绍佛教经典中的"汉语体系"时就采用了《佛教经典史》中的一些统计材料⑤。在近现代中国,木村泰贤的不少著作影响亦较大,他的《原始佛教

---

① 参见吕澂:《印度佛学源流略讲》,第 5 页。
② 参见李世杰:《印度哲学史讲义》,新文丰出版公司,1979 年,第 259 页。
③ 北京大学出版社,1992 年出版。
④ 参见吕澂:《印度佛学源流略讲》,第 295、337 页。
⑤ 参见黄心川:《印度哲学史》,商务印书馆,1989 年,第 169 页。

思想论》、《小乘佛教思想论》和《大乘佛教思想论》等书是中国学者研究印度佛教时经常参考的重要著作,如李世杰撰写的《印度哲学史讲义》也把这三部书列为主要参考书①。除宇井伯寿和木村泰贤的著作外,金仓圆照和中村元的著作在中国影响也很大。金仓圆照和中村元都是宇井伯寿的学生,在许多方面继承了他们老师的学术传统,但他们自己在学术上也有不少新的发展。金仓圆照在中国影响较大的著作是其《印度哲学史》、《印度古代精神史》、《印度中世精神史》和《印度精神文化研究》等书。他的《印度哲学史》是一部教科书性质的著作,其中有若干章是关于佛教的,篇幅虽不长,但把当时日本研究印度佛教(或哲学)的一些基本成果都吸收了进去(即在宇井伯寿等人研究成果的基础上,加入了不少新的成果),该书写得很简明,很受中国学者,尤其是初学佛教或印度哲学者的欢迎。笔者在教学中曾大量使用该书内容,并多次向学生推荐该书。金仓圆照有关印度精神文化等的著述表明了他在哲学与宗教学方面的许多重要见解,对中国学者研究印度佛教与哲学很有启发作用,是中国学者经常参考的专著。如吕澂先生在著述时就曾参考②。中村元是当代中国人非常熟悉的日本学者,在中国有很高的知名度。他在印度佛教和中国佛教及印度哲学等方面均有很高造诣,在印度佛教研究方面的著作很多,对中国学者影响不小。如杨曾文先生主编的《当代佛教》一书中就认为他的"《印度古代史》、《原始佛教的成立》、《原始佛教的思想》、《原始佛教的生活伦理》等著作,均在印度佛教研究方面做出新的贡献。"③ 黄心川先生在其《印度哲学史》等著述中亦经常提及中村元的一些研

---

① 参见李世杰:《印度哲学史讲义》,第 260 页。
② 参见吕澂:《印度佛学源流略讲》,第 325 页。
③ 参见杨曾文主编:《当代佛教》,东方出版社,1993 年,第 282 页。

究观点①。平川彰的《印度佛教史》② 是当代日本学者写的一本较系统的论述印度佛教的著作,很受中国学者重视,特别是在留日的中国学生(佛教专业)中有较大影响。日本学者有关印度佛教的专著完整译成汉文的总起来说不多。中国近年译的有佐佐木教悟、高崎直道、井野口泰纯、塚本启祥合著的《佛教史概说.印度篇》,中译本书名为《印度佛教史概说》(杨曾文、姚长寿译,复旦大学出版社,1989 年出版)。其他的完整译作多为论文,散见于中国国内的有关专业学术杂志上。日本对印度佛教研究的著作除以上所举的个人或几人合写的专著外,还有一些重要的论文集刊对中国的影响也很大。这里面需特别举出的是《印度学佛教学研究》,该论文集刊是 1951 年成立的日本印度学佛教学会的学刊或会刊,每年出两期,集中了日本印度学佛教学方面的学者(特别是中青年学者)每年的重要论文,其中专门研究印度佛教的论文不少,水平很高。中国的学术机构对此刊很重视,如北京大学自五十年代初就订有此刊,后来因国内政治原因曾一度中断,但此刊的大部分年度的刊物校图书馆还是收存了。中国"文革"前的学者和"文革"后的学者在研究印度佛教(当然还有印度哲学和中国佛教)时经常参阅此刊。目前中国培养的专攻佛学的研究生在撰写学位论文时也常去查阅该刊中的有关论文,借以了解日本学者在这方面的学术观点或学术走向。

　　以上所述是笔者认为在近现代中国影响较大的一些日本印度佛教研究的著作,实际情况可能多少有些出入,一些未提及的书并不就意味着它们在中国影响不大。下面再举一些北京大学图书馆所藏的部分日文印度佛教类图书,这些书在北大有关专业的科研人员或研究生写作或研究时都常被借阅参考,因而应说在中国也

---

　　① 参见黄心川:《印度哲学史》,第 222 页。
　　② 春秋社,上卷,1974 年出版;下卷,1979 年出版。

有其重要影响,如木村泰贤的《阿毗达摩论的研究》、赤沼智善的《原始佛教之研究》、和辻哲郎的《原始佛教的实践哲学》、宇井伯寿的《大乘佛典的研究》、《佛教思想研究》和《摄大乘论研究》、宫本正尊的《中道思想及其发达》和《大乘和小乘》、山口益的《般若思想史》、《佛教中无和有的对论》和《中观佛教论考》、山口谕助的《空和辩证法》、梶芳光运的《原始般若经的研究》、羽溪了谛的《大乘经典的成立》、安井广济的《中观思想研究》、中村元的《释尊传》和《自我和无我——印度思想和佛教的根本问题》、深浦正文的《唯识学研究》、栂尾祥云的《秘密佛教史》等等。

另外,还有一些重要著作,笔者仅见到中国一些学者介绍,或在一些著述中见过书名,但未亲见过这些书(并不等于别的中国学者也未见过)。这些书可能在一些中国学者中有收存,或许某些中国图书馆亦有存,也可能一些中国学者出国时见过,应当说在中国也有影响。此处亦举出一些:赤沼智善的《佛教原理的研究》、望月信亨的《佛教经典成立史论》、宇井伯寿的《佛灭年代考》和《根本佛教中僧伽的意义》、宫本正尊的《根本中和空》和《大乘佛教成立史的研究》、山口益的《空的世界》和《世亲的成业论》、金仓圆照的《释迦》和《马鸣研究》、中村元的《原始佛教的成立》和《原始佛教的思想》、平川彰的《原始佛教研究》和《律藏研究》、山田龙城的《部派教团的背景》、水野弘元的《佛教的分派及其系统》、《原始佛教》和《释尊的生涯》、雪井昭善的《佛教的传说》等①。

中国在七十年代末之后,实行对外开放政策,各种外文学术著作大量传入。在其中,日文的图书占很大比重。佛教研究方面传入的日文图书数目亦很多。本节中所举日本学者的印度佛教研究著作仅是一小部分,很可能是仅反映了笔者的视野、笔者的感受。

---

① 参见杨曾文主编:《当代佛教》,第281、282页;杨曾文、姚长寿译佐佐木教悟等著:《印度佛教史概说》,复旦大学出版社,1989年,第120-150页等等。

未提及的研究著作有些也是很重要的,而且在中国亦可能有不小的影响。然而无论如何,上述研究著作对中国的印度佛教研究有着较大的促进作用,我想这是毫无疑问的。

二、日本的佛教类工具书、 资料书在中国的影响

如同日本学者研究印度佛教的专著在中国影响较大一样,日本的佛教类工具书及资料书在中国的影响也很大。这主要表现在两方面:一是一些近代中国编撰的工具书或资料书借鉴吸取日本的这类书籍的内容,再一是日本的这类原版书在中国研究印度佛教的学者中使用得亦较多。

研究佛教,工具书十分重要。对于初学者则更是如此。日本1917 年出版的织田得能编的《佛教大辞典》是较早的日文佛教辞典工具书。1909 年至 1948 年又陆续出版了望月信亨编的《佛教大辞典》。这两部佛教工具书对中国近现代的佛教研究影响较大。日文原版的两书在一些中国学术单位和个人中都有,而且两书对中国丁福保所编的《佛学大辞典》有重要影响。根据丁福保在该辞典的自序一中说,他曾"参以日本织田氏望月氏之佛教大辞典、若原氏之佛教辞典、藤井氏之佛教辞林等。"① 目前,中国汉文的佛教工具书出版不是很多,而丁福保的《佛教大辞典》则一直是一般的佛学工作者案头较常使用的工具书,影响很大。而这种影响中也自然多少包含着日本工具书的间接影响。

---

① 参见丁福保编纂的《佛学大辞典》,文物出版社,1984 年,序言(1)和(2)。

　　除了织田得能和望月信亨编的这两部较早的佛教工具书外，日本在战后和近年又编了不少辞典，如龙谷大学编的大型工具书《佛教大辞汇》、中村元编的《佛语大辞典》、赤沼智善编的《印度佛教固有名词辞典》、小野玄妙等编的《佛书解说大辞典》、多屋赖俊等编的《佛教学辞典》、中村元监修的《新佛教辞典》等都在中国或对中国学者有一定影响。中国出版的一些著作对这些辞典有所介绍①。

　　另外，还要提及的是，日本学者很注意在佛教研究中编一些年表。其中较著名的是望月信亨的《佛教大年表》。日本许多著作后面都有这类年表，如佐佐木教悟等的《印度佛教史概说》②、金仓圆照著的《印度哲学史》③ 等等。这些年表非常简明地展示了印度佛教或与印度佛教紧密相关的印度哲学史上的主要人物、著作或事件的年代，对研究印度这样一个国家的宗教极为有益。不少中国学者在进行研究时经常参照这类年表。这类年表对一些中国初学佛教者尤为需要。笔者在北京大学教学时就常常借用这类年表，感到很实用。

　　日本学者编纂的佛教原典的资料书（集）对中国的影响也是很大的。影响最大的当然还是高楠顺次郎、渡边海旭、小野玄妙等人在 1924－1934 年间编辑出版的《大正新修大藏经》（简称《大正藏》）。这部《大藏经》在中国的主要社会科学研究机构和重点综合性大学中都有收存。《大正藏》收集了大量佛典，是各类汉文藏经中收佛典较多的，且有标点。这对于佛学研究者是十分方便的，目前为世界性的通用佛教大藏经版本。中国学者在从事佛教研究时

虽各种类型的汉文藏经都用,但现在越来越多的人喜爱使用《大正藏》,尤其是高校的年轻学者和佛教专业的研究生,在撰写论文时经常使用《大正藏》。

另外,中国近年编了不少佛教的资料选编或经籍选编一类书籍,有不少所选经籍或资料就取自《大正藏》。如任继愈选编、李富华校注的《佛教经籍选编》① 一书中所选佛典就有相当部分是录自《大正藏》或据《大正藏》校正。近年出版的汤用彤的遗稿——《汉文佛经中的印度哲学史料》② 中所选资料的相当部分也是录自《大正藏》。再有,罗竹风主编(陈泽民副主编)的《宗教经籍选编》③ 一书里的"佛教经籍选"中的大部分佛典也是以《大正藏》为底本的。当然,也有不少中国学者编的这类书未用或很少用《大正藏》的版本,而用其他的版本,如用《赵城金藏》的版本等。这也是很自然的,因为各种版本都有其优点或特点。但应当说,《大正藏》作为一种世界较通行的佛教藏经或资料集在中国的影响是相当大的。

除《大正藏》外,日本的前田惠云和中野达慧等人在 1905 - 1912 年编印的《大日本续藏经》(简称《续藏经》或《卍字续藏经》)亦在中国有重要影响。这部藏经中收入的虽多是中国人撰述的佛教著作,但对研究古代印度佛教有重要的参考意义,而其收入的一些印度佛典亦很有价值,因而很受中国学者重视。该藏经在中国的重要社会科学研究机构和主要的综合性大学中都有藏书,许多中国的佛学家或一般学者在从事研究或写作时都经常使用它。确切说,它与《大正藏》可互补不足,都是学者们从事研究的必不可少的佛典集。《续藏经》在中国的佛教教学工作中也起着重要作用,一些中国的大学(如北京大学)所开设的佛教原典选读课所选用的

① 中国社会科学出版社 1985 年出版。
② 商务印书馆 1994 年出版。
③ 华东师范大学出版社 1992 年出版。

24

材料常常取自《续藏经》。

再有,中国近代编的一些佛教藏经有些是主要以日本编的有关藏经为底本的,如上海频伽精舍 1913 年编印的《频伽精舍校刊大藏经》(简称《频伽藏》)就是基本以日本东京弘教书院 1885 年编成的《大日本校订缩刷大藏经》(亦称《缩刷藏经》或《弘教藏》)为底本的,只是去除了一些日本撰述和原页上有的校勘注,以千字文编次①。《频伽藏》是民国以来至八十年代中国流传较多的佛教藏经版本之一。

此外,日本京都藏经书院 1905 年编印的《大日本校订训点大藏经》(亦称《卍字藏》、《日本藏经书院大藏经》等)、高楠顺次郎监修的 1935 年译自南传巴利语三藏的《南传大藏经》等在中国亦有流传,很受中国学者的重视,是中国学者研究印度等国佛教的重要资料集。

当然,日本编的工具书或佛教原典的资料集等有许多是参考借鉴或吸收中国历代留下的佛教工具书或藏经编成的。严格说在这方面两国是互有借鉴吸收的。但应当承认,日本近代在这方面确实下了很大功夫,取得了很大成绩,编出了一部部高质量的实用价值高的佛教工具书和资料集。中国学者在这方面受益不小。

三、中国学者对日本有关学术观点和 研究方法的借鉴或研究

本文第一部分已叙述了日本研究印度佛教的学者的著作在中

---

① 参见任继愈主编:《宗教词典》,上海辞书出版社,1981 年,第 1080 页。

国的总的影响。此处再侧重谈谈中国学者对日本学者有关学术观点和研究方法的借鉴。

研究佛教，很重要的方面是搞清楚原始佛教的教理，知道佛教最初形成时的情形，最早的学说。而这就要对佛教的最早资料进行研究。但现在人们据以了解原始佛教的主要文字资料阿含经及一些早期的律，一般都是部派佛教时期定型的，都经过一些部派的增删，很难从中完全看清原始佛教的面貌。吕澂先生在研究印度原始佛教时亦面临着这样的问题。他很注意外国学者的研究方法，除了注意欧洲人的方法之外，对日本学者的方法亦很注意，加以介绍、分析。如在其所著《印度佛学源流略讲》一书中，他写道："日本人的分析方法是：最初是把南北两传的经律作比较，认为二者共同的部分即为原始佛说，如姊崎正治就是采用这一方法。后来宇井伯寿等人，除了把两类资料作比较以外，还从学说体系的逻辑结构和逻辑发展方面进行具体分析，用以确定哪些内容是早有的和由此引申的。这比姊崎的方法进了一层，但也难于恢复原始佛说的面目。因为部派经过几次分裂，资料是几次分裂后留下的，彼此影响，互相模仿，不断补充，即使有共同之处，也不一定即为最初之说。而且标准是活的。现在看来，要从现存经律中，寻出原始佛说来，仍然是件相当困难的工作。"[1] 吕澂先生在这里对日本学者的研究方法作了扼要的介绍，概括得很客观，分析得也很透，既指出了进步的方面，亦提出了不足。但严格讲，他也未提出更能解决问题的办法，承认这一问题"仍然是件相当困难的工作。"换句话说，日本学者的方法至今仍是还在使用的方法，尽管这种方法有局限和不足。

印度古代的历史资料保存得不完备。一般的人物和文献的年代有许多都无法确切判定。佛教亦是如此。日本学者在这方面作

---

① 吕澂：《印度佛学源流略讲》，第9页。

了大量考证工作,虽然有些仅是推测,不能作为最后定论。但提出一种推测或初步看法总比没有任何线索可寻要强,因为它可以作为我们讨论或研究问题的起点或参照物。日本学者写了大量佛教通史类著作和专门研究著作,对佛教的许多重要人物、典籍、事件等提出了系统的看法。这些看法也很受中国学者重视,如黄心川先生在其所著《印度哲学史》一书中考察弥勒时就曾提及日本宇井伯寿的观点,他说:"有人认为,弥勒确是一个历史人物",他又在注中说:"日本的宇井伯寿根据所传弥勒的著作以及其它资料论证弥勒是一个历史人物。详见宇井伯寿《印度哲学研究》第一,第335页。"① 另外,黄心川先生在研究《观无量寿经》的年代时亦采用了日本中村元的观点,在其《印度哲学史》中提到该《经》"大约成书于公元四世纪末",在注中说:"见中村元著:《印度佛教》第204,205,208页。"② 笔者在撰写《印度哲学》一书中的佛教等部分时,涉及印度佛教史上的重要人物的年代问题等处,有不少也采用了日本学者的观点,尤其是宇井伯寿和金仓圆照两人著作中的不少观点(主要是宇井伯寿的《印度哲学史》和金仓圆照的《印度哲学史》这两部书中的有关人物年代的基本看法)。日本学者有关印度哲学宗教史上其他重要人物年代的考证有不少与对佛教的研究关系密切。这方面日本学者也提出了许多有说服力的观点。笔者在进行研究时参考了这方面的不少观点或借鉴了他们的研究方法③。中国学者借鉴和研究参考日本学者研究成果的自然不止以上所列。日本学者在印度佛教研究方面的成就受到不少中国学者的高度评价。如杨曾文先生在其所主编的《当代佛教》一书中评价宫本正尊、中村元、平川彰、佐佐木教悟等日本学者的一些著作时,认为它

①　见黄心川:《印度哲学史》,第237页。
②　见黄心川:《印度哲学史》,第223页。
③　参见姚卫群:《印度哲学》,北京大学出版社,1992年,第108、109页。

们(分别评价)"在印度佛教研究方面作出新的贡献","对研究印度和中国佛教史很有参考价值","很受学术界欢迎"①。可见这些日本学者的许多学术观点或研究方法等是很受中国学者重视的。当然,中国学者借鉴日本学者的观点一般是有分析、有取舍的,是同时还有自己独立见解的,而且在整体上、数量上或场合上也是有限的。这里要说明的是日本学者的印度佛教研究在中国的受重视程度,存在的客观影响。另外,还要说明的一点是,中国学者对日本学者有关印度佛教研究的借鉴和评价肯定性的居多,但这也并不意味着都是如此。本文侧重叙述的是肯定性的方面。

本文以上三部分侧重从著作方面论述了日本学者的印度佛教学研究对中国的影响。实际上,在中日学者之间还有不少直接的往来。这些往来也是日本佛教研究在中国产生影响的重要途径或方面。笔者未作完整统计,但仅就近二十年来看,中日两国学者的往来可以说是不少的。如日本当代的著名学者中村元、前田专学等在八十年代中后期就曾来过北京,在北京大学和中国社会科学院等中国学术单位作演讲或与中国学者举行座谈交流。笔者就曾参加前田专学先生来北京大学访问时开的座谈会,有幸直接向其请教印度佛教和印度哲学方面的问题。另外,还曾拜读了他来中国时写的论文(讲稿)——《日本印度哲学研究今昔》。了解了日本现当代对包括佛教在内的印度哲学研究的状况。八十年代末至九十年代中后期,来中国的日本学者更多,如平川彰、木村清孝、丘山新、菅野博史等学者,曾在中国进行短期访问演讲或研究,与中国学者的交流较为频繁。中国学者近二十年来也多次多人前往日本研究、交流。如北京大学楼宇烈先生、中国社会科学院杨曾文先生、方广锠先生及笔者等都曾在日本进行了为期不短的研究交流。至于短期访问的学者则更是多不胜举。另外,中日间还召开了不

①　参见杨曾文主编:《当代佛教》,第 282 页。

少佛教学术讨论会,如 1985 年在东京召开了第一届中日佛教学术讨论会,1987 年在北京召开了第二届佛教学术讨论会等等。这些都是中日学者交流的重要场合。上述访问、座谈会或学术讨论会中虽可能有些活动的主旨不是专门关涉印度佛教的,但它们都与印度佛教有着间接或直接的关联。在这些往来中,日本的印度佛教学研究状况以多种方式为中国学者所了解,促进了中国的印度佛教学研究。

总而言之,日本的印度佛教学研究在这一学科领域中占有重要地位,在国际学术界享有较高声誉。它对中国的印度佛教学研究有多方面的影响。以上所述只是举出一些典型事例,力图说明一些基本情况,很可能不全面。进行这种考察的目的在于对中国佛教研究的发展诸因素进行一个侧面的研究,客观地加以说明,探索文化交流的必要性和规律性,进一步促进中日两国的文化建设,加强两国学术界的友好交往。另外,本文主旨在于考察日本的印度佛教学研究对中国的影响,但两国文化交流的影响是双向的,中国无论在古代还是在近现代的印度佛教学研究对日本都有重要影响。这方面也应该给予重视和研究,笔者文中未加涉及,并不是不重视或认为不重要,而是认为它应作为另一单独的课题加以研究和阐述。这与搞清楚本文所探讨的问题同样对加强中日两国文化建设、促进两国人民友好交往有重要意义。

日本对敦煌佛教文献之研究

(1909 年——1954 年)

方广锠

　　清光绪二十六年(1900 年),沉睡几达千年之久的敦煌藏经洞被发现。此后,一门崭新的学问——敦煌学开始产生、成长,并雄立于世界学术之林。1930 年,我国著名学者陈寅恪曾以其敏锐的学术洞察力与预见力,满腔热情地讴歌这门新学问的诞生:

　　一时代之学术,必有其新材料与新问题。取用此材料以研求问题,则为此时代学术之新潮流。治学之士得预此潮流者,谓之"预流";其未得预者,谓之"未入流"。此古今学术史之通义,非彼闭门造车之徒所能同喻者也。"敦煌学"者,今日世界学术之新潮流也。[①] 几十年来,世界各国学者在敦煌学领域内孜孜耕耘,取得了丰硕的成果。由于敦煌文献原属佛教寺院藏书,其内容的 90%

---

　　① 陈寅恪:《敦煌劫余录序》,载《敦煌劫余录》第一册第 1 页,国立中央研究院历史语言研究所专刊之四,中华民国二十年(1931)三月刊印。

30

以上为佛教典籍或与佛教有关的写卷①,因此,敦煌学肇始之初,对佛教文献的研究就是敦煌学的重点之一。其中,日本学者对西方学者而言挟有汉语文及佛教素养的优势;对中国学者而言又拥有掌握近现代科研方法与手段的优势;加之有雄厚的经济实力为后盾;再加上日本学者自己刻苦勤奋的努力;从而在敦煌佛教文献的研究方面取得了卓越的成果,为世人所注目。

日本对敦煌佛教文献的研究与日本的敦煌学同时起步,肇始于本世纪初,至今已有约九十年的历史。以 1954 年英国敦煌文献之缩微胶卷传入日本为标志,这九十年的历史大体可以分为二大阶段。

第一阶段从本世纪初到 1954 年,将近五十年。在这个阶段中,日本学者通过各种途径致力于敦煌文献中佛教资料的搜集,并对搜集到的各种资料进行认真的整理、研究,取得不少开创性的成果,其中不少优秀成果至今仍为人们所称道。

第二阶段从 1954 年到现在,约四十余年。1954 年起,英国、中国、法国所藏敦煌文献之缩微胶卷陆续传入日本。以此为契机,日本对敦煌文献中佛教文献的研究进入新时期。一大批敦煌学家在整理与研究敦煌文献缩微胶卷的过程中成长起来。不仅如此,第二阶段在指导思想、研究方法等方面也出现新的突破,从而推出

---

① 敦煌文献分藏各国,总数多少始终是一个谜,有着种种说法。根据最新的资料,中国国家图书馆收藏约为 16000 号;英国大英图书馆收藏约为 16000 号;法国国家图书馆收藏约为 6000 余号;俄罗斯东方研究所据说约有 19000 号;日本公私收藏约在 500 号至 1000 号之间;中国其他诸博物馆、图书馆及私人收藏在 3000 号以内;此外,荷兰、美国、奥地利等亦有少量收藏,分别为几件或十几件。这样,敦煌文献的总数将超过 60000 号。不过,由于各收藏单位在为敦煌文献编号时,一般来说,无论长短,每一个独立单位便编为一号;不少卷背的裱补纸被揭下后也单独编号;故 60000 号敦煌文献中包括许多残片、素纸等。此外,有些收藏单位把所藏经洞出土的敦煌文献乃至非敦煌文献也编其中,从而大大扩充了敦煌文献的数量。据估计,较为完整的敦煌文献,大致在 30000 号左右。其中 90％为佛教文献。

一批新的成果。

本文限于篇幅,仅对日本敦煌佛教文献研究的第一阶段的概况加以介绍与研究。

一、日本敦煌佛教文献研究的开端

上世纪末至本世纪初,欧洲曾掀起一股"中亚探险热"。一批批探险家在中亚腹地,包括中国的新疆与甘肃地区进行探险与考察。毋庸讳言,从总体看,这种探险与考察活动是为欧洲列强殖民扩张目的服务的;但就其学术层面而言,它又促进了对中亚的学术研究的发展。在这些探险家中,最早得到敦煌文献的是由英属印度考古局派遣的马·奥·斯坦因(Marc Aurel Stein, 1862—1943)与由"中亚与远东探险国际协会法国委员会"及法兰西科学院等单位派遣的保罗·伯希和(Paul Pelliot, 1878—1945)。斯坦因于 1907年、1914 年两次到敦煌,从敦煌莫高窟藏经洞的发现者王道士手中骗取了大批敦煌文献与其他艺术品。伯希和 1908 年到敦煌莫高窟,采用比斯坦因更为狡诈的欺骗手段,从王道士手中骗得不少敦煌文献与文物。

斯坦因所得敦煌文献与文物,除少量留在印度外,直接经由印度运到英国伦敦,斯坦因本人也没有与中国学者接触过,故他的活动当时未为中国学者所知。伯希和则在将绝大部分敦煌文献运回法国的同时,本人经北京返回他当时正任职的位于越南河内的法兰西远东学院。并于 1909 年携带部分敦煌文献原卷从河内再次来到北京。这一次在北京居留期间,他向蒋黼、罗振玉等若干中国学者出示了所得的敦煌文献。北京的中国学者这才知道敦煌莫高窟发现了石室文献,且大部分已被外国人捆载以归的事实。受到了极大的冲击。此后，在罗振玉等人的呼吁下，残存的敦煌文献中的绝大部分得以载运北京，保存在当时的京师图书馆，亦即今天的中国国家图书馆，从而使这些珍贵文物没有进一步散失。中国的敦煌学研究也因此由罗振玉等人发轫而逐步发展起来。

伯希和带来的这一冲击波，很快传到日本。

最早得知并接触伯希和所得敦煌文献的日本人是日本东京专门经营汉文书籍的文求堂主人田中庆太郎。他当时正在北京，听到伯希和携带敦煌文献来京的消息，立即前往伯希和假寓的八宝胡同访问。并在 1909 年 11 月 1 日发行的旅华日侨的刊物《燕尘》第二卷第十一号上，用"救堂生"的笔名发表题为《敦煌石室中之典籍》的文章，介绍了他访问伯希和的经过以及中国学者围绕敦煌文献与伯希和的交往经过，文中还引用了罗振玉的《敦煌石室书目及发见之原始》一文。田中本人不是学者，《燕尘》在北京出版，对日本本土没有太大的影响。但是，这一消息很快通过田中的父亲——正在东京的田中治兵卫——传给京都帝国大学教授、著名学者内藤湖南。内藤湖南随即在 1909 年(明治四十二年)11 月 12 日的《朝日新闻》上以《敦煌石室之发现物》为名发表文章，介绍了敦煌文献的发现及为伯希和所得的经过，并列举了若干文献名目①。该文章虽有若干传闻、猜测之词，但是日本第一篇关于敦煌文献的报道，引起学术界的关注。

当时，罗振玉已经商得伯希和同意，抄录并拍摄了若干敦煌文献资料，并将这些资料编为《莫高窟石室秘录》印行。罗振玉与日本一流学者一直保持着良好的学术交流关系。所以，他的《莫高窟石室秘录》一出版，立即附上有关的照片寄送内藤湖南与京都帝国大学的另一位教授狩野君山。于是，内藤湖南依据罗振玉提供的资料，于 11 月 24 日至 11 月 27 日，在《朝日新闻》上发表连载文

---

① 参见神田喜一郎：《敦煌学五十年》，二玄社，1960 年 5 月，第 17 页。

章,题为《敦煌发见之古书》,对敦煌文献的发现及内容作了较为正确与详尽的报道。所以,伯希和引发的冲击波最早是通过田中、罗振玉两条路线传入日本,而以罗振玉这条路线更为重要。内藤湖南的文章还透露,京都大学的学者已经开始对这些敦煌文献进行研究。从这里,我们可以看出当时日本学者对敦煌文献之发现是如何欣喜,研究之热情又是如何高涨。

1909 年 11 月 28 日、29 日,京都大学史学研究会在新建的京都府立图书馆举行第二次年会,会上展出了罗振玉送给内藤湖南及狩野君山的敦煌文献照片。京都大学的一些学者还就敦煌及敦煌文献发表学术讲演,其中包括对《尊胜陀罗尼》、《金刚经》、《化度寺碑》等佛教文献的研究。这一展览与讲演在日本造成很大的轰动,从此,敦煌与敦煌文献开始广为日本各界所知。一般认为,这一学术会议标志着日本敦煌学的开端。如前所述,这一会议所研究的内容也包括了佛教文献,所以它也可以称为是日本对敦煌佛教文献研究之滥觞。

1910 年,京都大学曾破例专门派出狩野直喜、内藤虎次郎等五人赴北京考察由敦煌押运抵京的敦煌文献。这些学者考察回国后,在京都大学举行了盛大的展览、报告会,使得日本学术界对敦煌文献有了进一步的了解。此外,当时日本有一批学者正在欧洲留学。这些学者从各个途径了解到斯坦因、伯希和等人的事迹,不少人亲自参观了斯坦因、伯希和等人所得的敦煌文献与文物。这些人回国后,对日本敦煌学的发展也起到重大的作用。1925 年 8 月,石滨纯太郎在大阪怀德堂举行夏期讲演时,首次提出"敦煌学"这个名词①,标志着早在二十年代中期日本学术界已经对敦煌学这门学科产生了理论的自觉。

这一阶段的日本敦煌佛教文献研究大体包括三个方面的内

---

① 石滨纯太郎:《东洋学漫谈》,创元社,1943 年 7 月,第 56 页、74 页等。

容:(一)对敦煌佛教文献的搜集;(二)对敦煌佛教文献的整理;(三)对敦煌佛教文献的研究。下面分别加以介绍。

二、对敦煌佛教文献的搜集

这里所说的对敦煌佛教文献的搜集主要指对敦煌文献原件的搜集,也包括对各国所藏敦煌文献原卷进行照相与刊布。至于对敦煌佛教文献的录文、校勘等工作,则在下文"对敦煌佛教文献的整理"中叙述。

在论述日本对敦煌文献原件的搜集时,首先必须提到的是大谷探险队。

大谷探险队由日本京都西本愿寺大谷光瑞组织。西本愿寺是日本佛教净土真宗的两大主要派别之一,在日本佛教界拥有相当大的实力。大谷光瑞是西本愿寺第二十二代法主,也是当时日本明治天皇的内弟。1900 年,大谷光瑞到英国伦敦留学,当时欧洲正好处于"中亚探险热"中,欧洲探险家的业绩极大地刺激了大谷光瑞。1902 年,大谷光瑞学业结束,便组织探险队,开始了自己的中亚考察事业。大谷探险队第一次中亚探险自 1902 年开始,至 1904 年结束;第二次中亚探险自 1908 年开始 1909 年结束。这两次主要在我国新疆境内活动。第三次探险从 1910 年开始,至 1914 年结束。在第三次探险中,大谷探险队的成员橘瑞超与吉川小一郎均抵达敦煌,他们在莫高窟各窟搜寻、并从王道士及乡民手中购买到敦煌文献 719 件。其中汉文文献 506 件,后编为 506 个号;藏文文献 213 件,后编为 211 个号①。汉文文献中既包括《大

---

① 其中有 3 件为残叶,合编为一号。即今中国国家图书馆新 621 号。

般若波罗蜜多经》、《大般涅槃经》、《妙法莲华经》、《金刚经》等较为常见的佛教经典；也包括《诸星母陀罗尼经》、《金有陀罗尼经》、《大乘稻竿经》等在敦煌翻译，且仅在敦煌流传的经典；还包括诸如《无量大慈教经》、《最妙胜定经》、《延寿命经》、《大辩邪正经》等疑伪经。此外还有像《六祖坛经》、《肇论》这样一些十分珍贵的中国人撰写的佛教文献及若干佛典注疏。藏文文献则大体均为《大乘无量寿宗要经》。这些敦煌文献运到日本后，曾在神户二乐庄、京都恩赐博物馆等地举办展览，对日本"敦煌热"的升温起到推波助澜的作用。其后，由于种种原因，这批文献流散各地。现主要收藏在中国国家图书馆、旅顺博物馆、日本龙谷大学等处，其他单位偶有少量收藏，若干文献现下落不明。①

　　此时，敦煌文献在日本可谓名噪一时，不但学者，一些收藏家、收藏单位无不视其为至宝而竭力张罗之。他们主要通过各种途径求购中国诸私人手中的散藏品。而从 1900 年藏经洞被发现之后，敦煌文献就通过各种途径不断流散；1910 年敦煌文献从敦煌解运北京前后，诸关系人物上下其手以营私，又使大批珍贵文献流散到私人手中。凡此种种，使得这种求购成为可能。当然，也有中国的私人收藏家向日本收藏家兜售的。由于这种交易一般均在私下进行，不少人购得之后甚秘其事，有的后来又辗转转让，所以我们现在已经很难勾画出这些交易活动的全部细节。综合各方面的资料估算，不包括上述大谷探险队收集品，先后流入日本的敦煌文献约在 500 件至 1000 件之间。其中大多为佛教文献，既有已为历代大藏经所收者，也有历代大藏经失收的珍贵典籍。如《菩提达摩禅师论》、《佛为心王菩萨说头陀经》以及三阶教典籍等。其中甚至有仅

----

① 　关于大谷探险队所得敦煌文献的详细目录及流散情况，请参见尚林、方广锠、荣新江合撰：《中国所藏大谷收集品概况——特别以敦煌写经为中心》，龙谷大学佛教文化研究所西域研究会，1991 年 3 月。

存一件的海内孤本,如《佛说妙好宝车经》等。目前日本敦煌文献较为集中的收藏单位有书道博物馆、京都博物馆、大谷大学、龙谷大学、天理大学、国会图书馆、三井文库、大东急纪念文库、奈良唐招提寺等,此外,还有相当大数量的敦煌文献散藏在私人手中及公私各收藏单位。流散到日本的敦煌文献对日本敦煌学及敦煌佛教文献的研究也发挥了巨大的作用。

除了致力于搜罗敦煌文献原件外,日本的不少学者还努力将英国、法国所藏的敦煌文献照相后影印出版。如羽田亨与伯希和合编的《敦煌文献》影印本第一集,1926 年由上海东亚考究会发行。其中收录了《慧超往五天竺国传》、《释迦牟尼如来像法灭尽之记》等四种文献的全部照片。特别值得提出的则是矢吹庆辉的《鸣沙余韵》。1916 年与 1922～1923 年,矢吹庆辉曾二度前往英国伦敦,在大英博物馆披阅斯坦因所得敦煌文献,在数千号文献中精选一批重要文献摄成照片,共 6000 多张。从中又选出 200 余号,以其书影编为《鸣沙余韵》,1930 年由岩波书店出版。《鸣沙余韵》分为正篇与篇外两部分,正篇所收的 180 多号文献均为历代大藏经未收的珍贵佛教文献;篇外所收的 48 号则为写经题跋、其他较为稀珍的佛教文献及摩尼教经典等。矢吹庆辉收集的这些历代大藏经所未收的典籍,包括敦煌地区翻译的经论、已经亡佚千年之久的各种经律论疏、佛教史传著作、佛教仪轨文书、经录、疑伪经等,具有极大的研究价值。这些文献其后大多被收入《大正藏》第八十五卷。《鸣沙余韵》用珂罗版精印,文字清晰,印刷质量较高,给研究者带来极大的方便。另外,神田喜一郎编《敦煌秘籍留真》,1937 年出版。该书共收罗敦煌文献 63 种,其中佛教文献《历代三宝记》、《法王本记东流传》、《传法宝记》等 14 种,均为 1935 年神田喜一郎在法国巴黎所摄。遗憾的是,由于经费困难,他对每种文献大抵只公布其一至二张照片,所谓"比於全书,不啻虬鳞片甲,丹凤一毛。"① 其后，神田喜一郎又从中选出二十余种，更名为《敦煌秘籍留真新编》。本拟全文影印发表，但因 1945 年抗战胜利而被搁置，稿存台湾大学。1947 年，许寿裳将其整理后，由台湾大学出版。

除此而外，日本的一些收藏单位亦先后将各自收藏的敦煌文献的图版全部或部分发表。有些私人收藏的敦煌文献则在辗转拍卖的过程中，在一些拍卖目录中公开其图版。

三、对敦煌佛教文献的整理

敦煌佛教文献绝大多数为古代写卷，从时代上讲，其年代最早者可达公元四、五世纪，晚者则为公元十一世纪，时间跨度达 600 余年。从抄写者讲，这些写卷有的出自宫廷楷书手之手，有的出自敦煌当地写经生之手，有的出自其他诸色僧俗人等之手，水平参差不齐。从内容上讲，大多数为历代大藏经已经收入的典籍，也有相当数量为历代大藏经不收或漏收的典籍，还有许多仪轨、杂文乃至错抄的废纸与习字的涂鸦，可谓杂乱无序。由于年代长久，不同年代写经之字体因古今演化而异；由于抄写者众多，写经质量参差不齐，错漏增衍实为常事；由于内容歧杂，必须对它们进行鉴别，然后才可以利用。加之它们本来就是一批被人废弃的古文献②，所存写经不但颇多残头断尾，而且鲁鱼亥豕之处，在所难免；文意漏断之处，亦为常见。此外，有相当一批文献是在敦煌本地产生的，带

---

① 《敦煌秘籍留真·神田喜一郎自序》，见《敦煌丛刊初集》第十三册，台湾新文丰出版公司印行，第 154 页。

② 参见拙作：《敦煌藏经洞封闭原因之我见》，载《中国社会科学》，1991 年第五期。

有浓厚的地方色彩,诸如敦煌俗字、河西方言、与少数民族语言文字的交涉互用等等。凡此种种,更增加了阅读与利用的难度。不过,在敦煌文献中,同一种文献经常保存有多个抄本残卷,如果把这些残卷的内容缀接、拼凑起来,再加以认真校勘,则往往可将残缺不全、文字错讹的文献拼凑完整,校为定本。由于有些文献尚有传世本,故校为定本时必须与传世本对勘。凡此种种,结合传世文献,对敦煌文献,特别是对历代大藏经中没有收入的诸种文献进行鉴定、定名、缀接、释读、校勘、录文,成为对这些敦煌佛教文献进行研究的前提与先决条件。本文所谓的日本学者对敦煌佛教文献的整理,主要指这方面的工作。

一般来说,凡是从事敦煌佛教文献研究的学者,不同程度地都要从事这种文献的整理工作。由于日本学者的研究面比较广,所以整理所及的文献面也相当宽,包括经律论、诸种疏释、史传、疑伪经、寺院文书等各个方面,其中相当大的部分均为历代未入藏典籍。有关成果除了散见于若干论文与著作中之外,集中体现在《大正藏》①,特别是《大正藏》的第八十五卷中。所以这里着重谈谈《大正藏》对敦煌佛教文献的整理。

从总体看,《大正藏》对敦煌佛教文献的整理,花费了很大的功力,也取得了不小的成就。这主要表现在如下几个方面:

首先,《大正藏》共计整理、发表敦煌佛教文献约 200 种,达 250 多万字。这些文献主要集中收录在第八十五卷中,约有 180 多种;其余十余种则散在其他各卷。第八十五卷篇幅达 1478 页,

---

① 《大正藏》是从日本大正十一年(1922 年)至昭和九年(1934 年),由著名佛教学者高楠顺次郎、渡边海旭、小野玄妙等发起、编辑的一部汉文大藏经,全称为《大正新修大藏经》,全 100 卷。从第一卷至第五十五卷所收大体为印度与中国撰述的佛教文献,第五十六卷至第八十四卷所收为日本撰述的佛教文献,第八十五卷为古逸、疑似的佛教文献,最后十五卷为图像与《昭和法宝总目录》。全藏共收印度、中国撰述佛教文献 2400 余种。

是《大正藏》中最为庞大的一卷。把敦煌佛教文献如此集中地汇聚在一起，是前所未有的创举，它既大大便利研究者的使用，也使研究者对敦煌佛教文献的价值有了更加深刻的认识与了解。

其次，《大正藏》所整理的这些文献均为历代大藏经未收的典籍。其中有的是在敦煌译出的印度佛教经典，有的是内地译出传入敦煌的典籍，例如《般若波罗蜜多心经》(法成译)、《唐梵翻对字音般若波罗蜜多心经》、《大乘无量寿经》、《大乘四法经》、龙树撰《因缘心论颂》、《因缘心论释》、《诸星母陀罗尼经》、《萨婆多宗五事论》等；有的是中国僧人撰著的佛教著作，如《六祖坛经》、《法门名义集》、《大乘二十二问》、《楞伽师资记》、《传法宝记》、《南天竺国菩提达摩禅师观门》、《王梵志诗》等；有不少是经律论疏释，如《梁朝傅大士颂金刚经》、《御注金刚波罗蜜经宣演》、《净名经集解关中疏》、《天请问经疏》、《毗尼心》、《瑜伽师地论手记》、《大乘起信论略述》等；有的是反映古代中国佛教实际宗教活动的礼忏文献，如回向文、祈愿文、布萨文、礼忏文、《净土五会念佛诵经观行仪》、《地藏菩萨十斋日》等；还有一大批传统认为"应秘寝以救世"的疑伪经，诸如《护身命经》、《决罪福经》、《妙好宝车经》、《首罗比丘经》、《父母恩重经》、《八阳神咒经》等。为佛教研究提供了大批前此不为人们所知的新资料，对推动佛教研究的深入发挥了积极的作用。

再次，有些文献，录文时依据其他敦煌写卷或传世写本进行了校勘，自然因此增加了它的研究、使用价值。

当然，《大正藏》的上述整理工作也存在若干不足之处，主要有如下几点：

第一，所利用敦煌文献的覆盖面有限。《大正藏》所收入的敦煌文献绝大部分依据矢吹庆辉从英国伦敦考察所得照片录文。少量文献依据赤松秀景、山田龙城在法国巴黎调查所得录文，个别文献依据中国出版的北京图书馆敦煌文献录文，或依据大谷探险队所得敦煌文献乃至中村不折等私人所藏敦煌文献录文。由于所依据的原始资料有限,所以收入的敦煌佛教文献也受到很大的限制。仅收入 200 种左右,与敦煌文献中保存的大量未入藏敦煌佛教文献相比,仅占一小部分。由于依据的原始资料有限,故出现一些问题。如《首罗比丘经》、《大通方广经》、《天公经》、《天请问经疏》等不少文献,矢吹所见的写卷均为残本,而敦煌文献中尚保存有这些文献的其他写卷,可以据以补足;又如《净名经集解关中疏》,矢吹所依据的写卷有大段缺漏,而敦煌文献中该文献尚存有抄写质量更好的其他写卷,更适宜用作底本。

第二,有些典籍不应收而收入,有些应收入而未收。如第 2913 号《七女观经》,系历代大藏经已经收入之小乘佛教经典,此次误作疑伪经收入;第 2770 号《维摩经疏》,实际为隋慧远撰《维摩义记》,已收入《大正藏》第三十八卷。有些典籍因定名有误而重复收入,如第 2741 号《金刚般若经疏》实际是第 2733 号《御注金刚般若波罗蜜经宣演》的另一个抄本。有的如第 2775 号《维摩疏释前小序抄》与第 2776 号《释肇序》本为一卷,却分为两种文献录文,且《释肇序》的正确名称应为《释肇序抄义》。有些典籍如《父母恩重经》、《佛母经》、《新菩萨经》等有多种异本,但《大正藏》第八十五卷则收入其中一种。

第三,录文也有可议之处。如《唐梵翻对字音般若波罗蜜多心经》原卷有一段文字是书手错抄后放弃的,故特意在前后用"┐"与"└"加以标志,但录文者不察,把这段文字录入正文,以致文意扞格。又如《大乘二十二问》最后有一段话介绍佛教部派的分布,称"其法藏部本出西方,西方不行,东夏广阐。"但《大正藏》录文时漏"西方"两字,误作"其法藏部本出西方不行东夏广阐。"[①]当然,《大正藏》对敦煌佛教文献的整理出现这些问题,主要是由于客观条件有限所致,我们不能苛责前贤。

---

① 《大正藏》,第八十五卷,第 1192 页下。

四、对敦煌佛教文献的研究

根据日本东洋文库敦煌文献研究联络委员会 1959 年编印的《敦煌文献研究论文目录》，从本世纪初至 1954 年，亦即在第一阶段中，日本学者共发表敦煌学方面的论文 707 篇，其中属于佛教研究及与佛教有关的论文达 350 篇，约占 50% 弱；共出版著作 112部，其中佛教及与佛教有关的著作达 50 部，约占 44%。从上述统计可以看出佛教研究在日本敦煌研究中的重要地位及对敦煌佛教文献研究成果之丰硕。这一方面固然是因为佛教研究在敦煌学中占有重要的地位，另一方面也是因为佛教在日本有着悠久的民族传统与广大的群众基础，有着一批对佛教有深厚功力的优秀学者。由于成果比较多，这里只能择要谈谈。

敦煌文献发现，在日本学术界引起一场"敦煌热"，但最初的研究大抵限于对敦煌及敦煌文献的一般介绍。第一个分量较重、较为引人注目的学术成果，是藤田丰八所撰的《慧超往五天竺国传笺释》。《慧超往五天竺国传》是伯希和在敦煌得到的佛教文献之一，原卷首尾残缺，无题。1909 年，他将该卷携到北京。罗振玉见到后，根据《慧琳音义》的有关记载，考证出该卷即为亡佚已久的《慧超往五天竺国传》的节抄本。罗振玉将该卷录文连同论述考证结果的《录校札记》，一起发表在《敦煌石室文献》(1909 年，北京)中。当时藤田丰八因应聘在北京大学任教，正居住在北京。他以罗振玉的录文为基础进行研究，撰成《慧超往五天竺国传笺释》，1910年在北京出版。该书利用各种传世资料对《慧超往五天竺国传》作了翔实的笺释，达到较高的学术水平。该书后修订，1911 年在东京再版，被日本学术界称为是敦煌学历史上最早出现的优秀著作，得到较高的评价。

这一阶段的更为引人注目的另一优秀成果是对三阶教的研究。三阶教是中国隋代僧人信行创立的一个佛教宗派,有自己独特的宗教理论与修习方式,有自己独立的寺院与库藏。隋唐两代,发展迅速,一度拥有较大的势力。甚至直到宋代,还有一定的影响。但它一直被正统的佛教徒视为异端,屡受官方的排斥与禁绝,终于消亡。三阶教有自己的典籍,这些典籍随着三阶教的消亡而湮没,仅在中国保存若干金石资料及在日本保存若干的古抄本。敦煌文献中则保存了相当数量的三阶教典籍,从而为研究三阶教提供了条件。当时,日本利用敦煌文献及其他资料研究三阶教的先后有矢吹庆辉[①]、神田喜一郎[②]、高雄义坚[③]、塚本善隆[④]、大野法道[⑤] 等,其中集大成者为矢吹庆辉。

1927 年,岩波书店出版了矢吹庆辉的大部头专著《三阶教之研究》,这也是他的博士论文。该书由第一部"教史及教籍史"、第二部"教义及实修"、第三部"附篇"以及最后的"别篇"等四部分组成。在第一部中,作者首先对三阶教创始人信行的行状作了详尽的研究;对从隋到宋,三阶教三百余年的历史作了鸟瞰似的概述。接着依据历代经录及其他载籍的记载与敦煌文献等,对三阶教的典籍进行研究,论述了它的性质、作用等诸方面的问题。在第二部中,作者从三阶教的末法观、教判、普别二法、对根起行、生盲佛法、

---

① 矢吹庆辉:《三阶教の普法に就いて》,载《哲学杂志》33 之 373、374,1918 年。

② 神田喜一郎:《三阶教に关する隋唐の古碑·上》,载《佛教研究》3 之 3,1922 年。

神田喜一郎:《三阶教に关する隋唐の古碑·下》,载《佛教研究》3 之 4,1922 年。

神田喜一郎:《三阶教に关する隋唐の古碑·补遗》,载《佛教研究》4 之 2,1923 年。

③ 高雄义坚:《龙大图书馆所藏三阶教资料に就て》,载《龙谷大学论丛》255,1924 年。

④ 塚本善隆:《三阶教团と无尽藏について》,载《宗教研究》3 之 4,1926 年。

⑤ 大野法道:《三阶教の研究》,载《宗教研究》4 之 5,1927 年。

普行等角度认真考察了三阶教的教义与修习实际；专题研究了三阶教的无尽藏法；还研究了三阶教与佛教末法思想及地藏教的关系。在第三部中，作者除了罗列三阶教的年谱及对若干三阶教典籍进行专门的深入研究外，还依据敦煌文献，以"大云经与武周革命"为题，专题研究了武则天与佛教的关系以及若干相关问题。第四部"别篇"是资料集，共集录敦煌文献中发现的三阶教典籍12种；日本古抄三阶教典籍《三阶佛法》一种四卷。全书最后并附有专有名词索引。

该书是利用敦煌文献研究中国佛教的重要成果，填补了佛教史上的一大空白。它的出版得到日本学术界的高度评价，认为无论在研究方法上，在着眼点上，还是在研究结论上都卓然自成一家，是对佛教研究的一大贡献。该书至今仍是人们研究三阶教时的必备参考书。本书出版后，矢吹庆辉并没有结束这一课题的研究，陆续又发表了一些文章①，对本课题的研究了作了进一步的补充。

敦煌文献中禅文献的发现对中国佛教禅与禅宗的研究打开了全新的天地。

最早发现敦煌禅文献并进行研究的是中国的胡适。1926年，胡适在法国巴黎发现《菩提达摩南宗定是非论》等禅文献，并依据这些资料写成《荷泽大师神会传》，力图恢复中国早期禅宗史的真实面貌②。胡适对敦煌禅文献的发现与研究，推动了日本治禅宗史学者的同类研究的开展。其后日本学者在更大的广度与深度上大大地推进了这一研究。胡适有生之年，也一直与日本有关学者

---

① 矢吹庆辉：《三阶教に於ける全佛教の改造运动とその经济思想》，载《佛教思想》3之3，1928年。矢吹庆辉：《三阶教の研究をめぐりて》，载《佛教思想》7之1，1932年。

② 胡适：《神会和尚遗集》，上海亚东图书馆，1930年。

保持着良好的学术交流关系。

在禅宗历史研究方面,反映了禅宗北宗观点的著作——S2054号《楞伽师资记》(唐释净觉撰于713年至716年间)首先为矢吹庆辉发现,他将该书收入《鸣沙余韵》。其后,朝鲜金九经综合胡适发现的S4272号、P3436号等《楞伽师资记》的同类写本,出版了《校刊唐写本楞伽师资记》(1931年,京城)。该校勘本于1932年被收入《大正藏》第85卷。禅宗北宗的另一部历史著作P2634号《传法宝记》(唐释杜朏撰于713年左右)也被收入《大正藏》第85卷,惜该号仅残存首部。1936年神田喜一郎发现该文献的另一个抄本P3559号,并于1942年公布了照片①。这样,这一重要文献便可补足。其后,白石虎月依据上述资料完成了校订本②。反映了禅宗保唐宗观点的历史著作《历代法宝记》(S516号)最早亦为矢吹庆辉所发现,收入《鸣沙余韵》,其后发现P2125号是该文献的另一个抄本,校勘后收入《大正藏》第51卷(1928年,东京)。

在禅宗语录研究方面,成果更为丰富。如传为达摩所撰的《二入四行论》、传为弘忍所撰的《蕲州忍和上导凡趣圣悟解脱宗修心要论》、神秀所撰的《观心论》、北宗禅的《大乘五方便》、慧能的《六祖坛经》、神会的《南阳和上顿教解脱禅门直了性坛语》与《南阳和尚问答杂徵义》、南宗的《顿悟无生般若颂》、牛头禅的《绝观论》与《南天竺国菩提达摩禅师观门》、论述北宗顿悟理论的《顿悟真宗论》与《顿悟真宗要决》等文献均被发现、公布并录文,有的并依据不同写本多次发表校勘本。③此外,当时对敦煌文献中保存的若干

---

① 神田喜一郎:《传法宝记の完帙に就いて》,载《积翠先生华甲寿纪念》,积翠先生华甲寿纪念会,1942年。

② 白石虎月:《续禅宗编年史》,酒井本店,1943年。

③ 前述禅语录的有关研究成果,主要发表在如下著作中:

铃木大拙:《敦煌出土少室逸书》,1935年。

铃木大拙:《校刊少室逸书及解说》,安宅佛教文库,1936年。

禅诗、偈颂等也作了录文、研究。

净土宗在日本有着深厚的群众基础,因此,有关净土宗典籍的研究也是日本敦煌佛教文献研究的热点之一。

这一阶段的另一个研究重点是敦煌文献中保存的历代大藏经未收的典籍,这可以以矢吹庆辉的《鸣沙余韵·解说篇》为代表。如前所述,矢吹庆辉曾将在英伦拍摄的敦煌文献书影编为《鸣沙余韵》,于1930年出版。1933年,又由岩波书店出版了矢吹庆辉撰写的《鸣沙余韵·解说篇》。该书分两部分。第一部分是对《鸣沙余韵》所收的200余种未入藏敦煌文献的解说。第二部分则是对若干藏外敦煌文献的专题研究。如对于现存最古的《胜鬘经义记》的研究,对敦煌净土教资料的研究,对敦煌疑伪经的专题研究,对敦煌禅文献的研究等等,都达到较高的水平。属于同类研究的还有望月信亨的《中国撰述之疑伪经》[1]、诹访义让的《关于敦煌本〈瑜伽论手记〉》与《关于敦煌本〈瑜伽论分门记〉》[2]、本田义英的《佛典

铃木大拙:《禅思想史研究第二》,岩波书店,1951年。

久野芳隆:《流动性に富む唐代の禅宗典籍——敦煌出土本に於ける南禅北宗の代表的作品》,载《宗教研究》新14—1,1937年。

久野芳隆:《北宗禅——敦煌本发见によって明瞭となれる神秀の思想》,载《大正大学学报》30·31合辑,1940年。

宇井伯寿:《北宗残简》,载《禅宗史研究》,岩波书店,1939年。

铃木大拙、公田连太郎:《敦煌出土六祖坛经》,森江书店,1934年。

宇井伯寿:《坛经考》,载《第二禅宗史研究》,岩波书店,1941年。

石井光雄:《敦煌出土神会录》,石井光雄出版,1932年。

铃木大拙、公田连太郎:《敦煌出土荷泽神会禅师语录》,森江书店,1934年。

久野芳隆:《牛头法融に及ぼせる三论宗の影响——敦煌出土本を中心として》,《佛教研究》3-6,1939年。

铃木大拙编、古田绍钦校:《敦煌出土积翠轩本〈绝观论〉》,弘文堂,1950年。

① 望月信亨:《支那撰述の疑伪经》,载《佛教学年报》2,1930年。

② 诹访义让:《敦煌本〈瑜伽论手记〉に就いて》,载《宗教研究》7之3,1930年。

诹访义让:《敦煌本〈瑜伽论分门记〉について》,载《大谷学报》11之3,1930年。

的内相与外相》^①、久野芳隆的《昙旷述〈大乘二十二问〉》^②、酒井忠夫的《关于十王信仰之诸问题及〈阎罗王受记经〉》^③ 等一批成果。

敦煌位于丝绸之路的要冲,历来是多种文化交汇之地,特别是与西域诸民族有着密切的交往。佛教也正是这一交往的重要纽带。因此,敦煌佛教文献研究中,诸多古西域文字文献及少数民族文字文献的研究,具有重要的意义。这一研究,往往需要与新疆出土的各种文字佛典的研究结合进行。日本学者在这一方面也做了许多工作。如渡边海旭对梵文、回鹘文佛典的研究^④,羽田亨对于回鹘文佛典的研究^⑤,以及泉芳璟、石滨纯太郎、本田义英、长田彻澄、川上天山、久野芳隆、春日井真也等人的研究。他们的工作使得敦煌佛教的研究建筑在更加广阔与坚实的基础上。如羽田亨于1931 年出版的《西域文明史概论》、1947 年出版的《西域文化史》都有关于佛教的专门论述,他的西域文明观认为汉唐以前西域文明的主体是伊兰种居民创造的城郭文明,汉文化主要流传于移居、生活在西域的汉民族中;其后随着回鹘族的西迁,汉文化影响越来越大。他的这种观点对当时的研究者有较大的影响。

敦煌出土的佛教文献,除了传统的经律论及注疏以外,有许多

---

① 本田义英:《佛典の内相と外相》,弘文堂,1934 年。

② 久野芳隆:《昙旷述〈大乘二十二问〉》,载《佛教研究》1 之 2,1937 年。

③ 酒井忠夫:《十王信仰に关する诸问题及び〈阎罗王受记经〉》,载《斋藤古稀论集》,1937 年。

④ 渡边海旭:《新发见の西域古语圣典の研究》,载《新佛教》9 之 4,1908 年。

渡边海旭:《大般涅槃经の梵文断片》,载《宗教界》5 之 3,1909 年。

渡边海旭:《回鹘语佛教圣典に就いて》,载《宗教界》6 之 11,1910 年。

渡边海旭:《于阗发见の〈大品般若〉断片》,载《宗教界》8 之 6,1912 年。

⑤ 羽田亨:《回鹘文の〈天地八阳神咒经〉》,载《艺文》4 之 2,1913 年。

羽田亨:《回鹘〈法华经·普门品〉断片,附回鹘文の〈天地八阳神咒经〉补遗》,载《东洋学报》5 之 3,1915 年。

羽田亨:《回鹘文の佛典について》,载《史学杂志》25 之 6,1915 年。

羽田亨:《回鹘译文安慧の〈俱舍论实义疏〉》,载《白鸟还历论丛》,1925 年。

反映寺院宗教活动及经济活动的文书,从而为佛教研究开拓了全新的领域。这方面的代表人物是那波利贞。他在《唐代社邑研究》(《史林》23,2—4,1938年4—10月)、《关于按佛教信仰组织起来的晚唐五代社邑》(《史林》24,3、4,1939年7月、10月)等论文中,利用敦煌社邑文书,从佛教文化与社会生活关系角度入手,对古代中国民间结社的性质、社邑的演变、唐五代社邑的佛教色彩及其在经济、道德方面的约束作用等,作了全面而细致的论述,初次揭示了很少见于正史的普通民众社会生活之一幕。他的《梁户考》(《支那佛教史学》二,1、2、4,1938年3—11月)、《中晚唐敦煌地方寺院的碨磑经营》(《东亚经济论丛》,1941年第1—4期)、《敦煌文书中有关中晚唐寺院钱谷布帛类借贷营利事业经营实况》(《支那学》,1941年第10期)等文章,都以敦煌文书为主要资料,分别从梁户的性质、梁户与寺院的关系、寺院的碨磑经营事业及借贷关系等不同角度,对唐五代佛教寺院经济作了开拓性的研究。可以说,由于那波利贞的工作,敦煌社会经济文书在唐代社会史、经济史研究上的重要史料价值才真正被揭示出来,为世人所认识。

五、简短的小结

从总体来看,在这一阶段中,日本学者在利用与研究敦煌佛教文献方面取得一系列引人注目的开创性成果,具有这样一些特点[①]:

(一)日本敦煌佛教文献研究的产生与敦煌学在世界范围的兴

---

① 参见池田温:《敦煌学与日本人》,载《国际汉学》,商务印书馆,1995年1月。

起基本同步。在这一阶段的早期,日本学者与外部世界,特别是中国学者保持密切关系并或多或少地受到影响。不少日本学者在中国出版其研究成果就是证明。但二十年代中期以后,随着日本敦煌学在理论上的自觉,特别是三十年代后半叶之后国际政治局势的变化,日本学者的敦煌佛教文献研究具有较强烈的独立倾向。不过,在研究方法上,仍然受到西方现代科研方法论的较大影响。这时,欧美的敦煌佛教文献研究可以说还没有起步;中国则因为长期战争而民生凋敝,前此已经起步的敦煌学研究处于极度的衰落中。所以,从总体看,日本学者此时的研究,无论在数量上还是在质量上,都代表了世界范围的敦煌佛教文献研究的最高水平。

(二)敦煌佛教文献研究在日本的兴盛,与日本的"文化寻根"意识有着密切的关系。日本是一个岛国,与地处中亚内陆的敦煌本来无关。但日本在发展过程中受到中国文化的强烈影响,其中包括佛教文化的巨大影响。而佛教正是通过中亚传入中国,进而传入日本的。正是由于这个原因,出于对佛教文化的亲和感与前述文化寻根意识,大谷光瑞才组织了探险队到新疆与敦煌探险。也正是由于同样的原因,对敦煌佛教文献的研究得到日本学者非同寻常的重视。

(三)敦煌佛教文献研究能够在日本如此兴盛,又与日本保存着众多的古代佛教文献写本及深厚的佛教文化传统有关。

就前者而言,由于历朝历代的天灾人祸及其他各种原因,中国古代丰富的写本佛教文献几乎毁损殆尽,能够保存下来的只是一些砖木金石文物。而日本则完全不同,相当大数量的古代佛教文献写本被保存下来,不少还在近代传入中国。由于古代的写本佛教文献未能保留下来,偶尔存世的个别文献,如唐贞观年间国诠写《善见律》只作为士大夫赏玩的秘本,故中国缺乏对佛教写本进行研究的条件与传统。近代以来,中国多次出现把日本古写经误认为敦煌写经,就是在这种背景下产生的错误。而日本则全然不同,因故古代写本佛典留存丰富,日本学者对它有较多的研究与认识。敦煌佛教文献恰巧大抵也都是写经,形态基本相同。由于已经掌握了关于佛教文献的古写本学、古文书学的基本知识,使得日本学者在敦煌佛教文献这一领域中如鱼得水,往来自如。

就后者而言,佛教在日本社会中比在中国社会中有着更强的根基,佛教系大学很多。与中国相比,佛教研究者不仅在数量上遥遥领先,一流的优秀学者也较中国为多。近代以来,日本在印度学、藏学、中亚语言文字学等诸领域均有较为深厚的学术积累,而这些学科都与佛教有着千丝万缕的关系。这样的文化背景与学术背景,使得日本学者在敦煌佛教文献的研究方面,与其他各国学者相比,具有无与伦比的优势,也取得了无与伦比的成绩。为世界敦煌学、佛教学作出重大贡献。

当然,这一时期的日本敦煌佛教文献研究也存在一些不足。这些不足主要表现在如下两个方面:

第一、从思想认识上来讲,当时认为敦煌佛教文献的研究价值主要体现在那些散佚在传统大藏经之外的文献上,从而在研究方法上表现为"找宝"式的倾向,亦即把重点放在搜寻、整理与研究那些大藏经未收的文献上。对占敦煌文献绝大多数的历代大藏经已经收入的文献则缺乏兴趣。其所以如此,根本原因在于认为敦煌佛教与中国佛教没有什么区别,因而没有认识到敦煌佛教有其地区性特点,应该作为一个个案加以详细的研究,而这种研究正是使中国佛教研究进一步深入的必要前提。

第二、虽然有的研究已经显示出综合性的倾向,但从总体来看,还是停留在对若干文献的个别研究的阶段。文献研究还没有能够与敦煌壁画、雕塑、幡画等其他敦煌文物相结合。课题的选择往往与研究者所属的佛教宗派有关。

上述不足在日本敦煌佛教文献研究的第二个阶段(1954年—目前)逐步被发现与被弥补,从而使日本的敦煌佛教文献研究取得更加辉煌的成果。但这已是应由下一篇文章论述的内容。

本文承上山大峻先生指教并提供资料,特致谢意。

日本近代佛教伦理观的转折

——兼从比较中日近代伦理思想研究的视野看

陈少峰

在文化的发展由古代向近代的转折过程中,价值观的变化最引人注目。而在这一价值观的发展中,伦理道德(包括宗教伦理)的批判与反思乃是其中影响最深远的方面之一。随着政治变革、社会发展和思想运动的开展,宗教直接面临来自各方面精神的震荡与冲击。尤其是启蒙思想运动的开展,向宗教以及传统伦理价值观提出了严重挑战。当然,作为启蒙思想的重要思想资料之一是对传统的吸收和改造,其中曾经深刻影响民众和知识阶层的宗教伦理也突出地成为批判与继承的焦点之一。

在日本,佛教从平安时代起一直是社会精神生活的核心内容之一,尤其在江户时期更是盛况空前,并且获得了事实上的独尊地位。然而,面对新的社会发展,佛教的教义、组织以及伦理态度等方面都处在发展的转折关头,其对应新社会的态度和方式不仅直接影响新时代价值观的建立,而且也关系到它自身的存废与发展与否的现实。本文拟围绕日本近代佛教伦理观的变化进行讨论,同时在比较的视野中,比较中日启蒙思想与佛教伦理之间围绕新的价值观所展开的思想活动的特色。

一、近代的思想倾向与伦理观的转折

从幕末开始,日本思想界酝酿并发生了一场深刻的价值观变革。这一价值观的变革主要集中在建立现代化国家所必需的民权观念和追求财富的价值意识。在价值观上,启蒙思想家吸收了西方自由主义的部分思想以及功利主义的伦理观,同时将传统伦理改造为民族主义、国家主义的精神追求。然而,由于潜存着严重的保守思想,[①] 包括启蒙思想家中最激进的思想家也试图调和传统伦理与新的国家主义思想,启蒙主义的价值观在经历了形式上激烈的"西化"以后,在明治政府羽翼丰满时即被扭曲为国家主义的护航工具。总之,近代主导思想的演进是由明治初期的西方思想的引进到调和东西方思想,并在加藤弘之的《人权新说》中标志其走向保守。曾经积极借鉴西方价值观的加藤弘之在启蒙运动不久即逐渐转向保守。他于明治十五年发表了《人权新说》。它标志着自由主义与国家主义的分裂。而在明治二十三年十月,明治政府即公布了《教育敕语》。它的重点在提倡其成立初期以来所确立的皇权意识和传统的忠君爱国:"朕惟我皇祖皇宗肇国宏远,树德深厚,我臣民克忠克孝,亿兆一心,世世济厥美。此我国体之精华,教育之渊源亦实在此。尔臣民孝父母,友兄弟,夫妇相和,朋友相信,恭俭持己,博爱及众,修学习业,启发智能,成就德器,进而广公益,开世务,常重国宪,遵国法,一旦有缓急,义勇奉公,以扶翼天壤无穷之皇运。如是则不独为朕忠良之臣民,又以足为显彰尔祖先之

---

① 斯文会是当时保守思想和继续传统伦理的大本营。参阅陈玮芬撰:《斯文会及其学术活动史》(刊于《原学》第五期,1996 年 5 月中国广播电视出版社出版)。

遗风。斯道实为我皇祖皇宗之遗训,子孙臣民俱应遵守,通之古今而不谬,施之中外而不悖。朕与尔臣民共拳拳服膺,庶几咸其一德。"它不仅导致国粹主义——道德主义的抬头,而且严格限制思想自由,将伦理教育归属于国家观念教育之下。这样,在政治上的专制势力制约下,传统伦理和近代民族主义结合起来,奠定了日本新的精神方向。当然,明治政府的伦理要求中也包含一些注重公益,遵纪守法以及在政府指导下进行宗教活动等内容,这也成为佛教伦理观念变革的重要背景因素。

如前所说,明治初期的启蒙主义价值观是为现代化开辟道路的,它对传统价值观曾经进行激烈的批判。面对启蒙运动所带来的价值观念的冲击,宗教领域直接受到指责。例如,针对当时富国强兵的要求,佛教的出世或者说"虚"之生活伦理态度以及僧侣游民之不利益于社会富强凝聚力的根本方面受到最严厉的质问。尽管佛教界提出了"佛教国益"的口号,想向当时维新政府讨好;佛教甚至于提倡儒教伦理,包括孝子节妇;当时的组织改革仍然保留了顽强的封建精神,这在报恩的四恩(三宝、国王、父母、众生)中有所反应;但仍然难于在极大的社会新价值思潮面前确立其新的形象。此外,为了建立社会有效的秩序和现代化的精神主导,启蒙思想家在当时引进了功利主义、自由主义思想。而佛教的伦理仍然停留在与封建的天理人道相对应的方面,包括慈悲精神,容纳了平等即差别的伦理。而因果报应的思想之消极面仍然存在,这在当时流行一时的所谓"妙好人"的形象规定中也能看出。[①] 总之,启蒙主义正在积极地为建立新的价值观向旧的伦理冲击,而国家政府的政教合一也进行着威逼利诱。

这样,佛教教义及其与社会相联结的伦理观念直接受到责问。

---

① 见吉田久一:《日本の近代社会と佛教》第61－64页。评论社,昭和四十五年九月。

值得注意的是,当时的佛教启蒙家明显地出现了分裂,其中一部分即洋行僧脱离了传统的形态,强调导入西洋的学问,确立新的社会伦理。井上圆了是最著名的代表。在其著作中,他明确呼应了当时的民权平等思想运动,甚至在《哲学一夕话》、《哲学要领》等著述上兼以出版人的身分打上"新泻县平民"字样。他在大学时代即创立"不思议研究会",以后在明治二十四年和二十六年分别发表《妖怪研究会》和《妖怪学讲义录》,从另一方面来呼应自由民权、文明开化运动。他还从哲学的立场来批评物质论的自利主义(他称之为唯物论)。

但在明治政府加强封建道德的利用时,一些佛教界的启蒙之士也附和了其运动指南,并积极做出解说。井上圆了也是这方面的典型代表。总之,佛教界的启蒙思想家在价值观确立的过程中,对启蒙思想充满着关注之情,并在其后随着明治政府的伦理教育而做出自己的呼应。直到本世纪初的新佛教运动中,佛教界或者对佛教发展积极关注的一些思想家才积极吸收启蒙思想的成果来推动佛教伦理的自律和完善,结合宗教自由的思想,形成独立的价值观。

二、近代的佛教运动与伦理净化活动

至幕末,佛教界组织内部的伦理状况已经潜在着严重的堕落倾向。村上专精分析道:"德川幕府时期的佛教,从规定'改宗'制度以后,神儒二道亦归它管辖,无论贵贱上下,全由佛教统一人心,僧侣衣食有余,受到社会的尊敬;但是他们除了争夺僧官僧位的高下和寺院殿堂的壮丽之外,几乎全不把教义放在心上。这样,就使佛教沉沦于衰败的境遇之中。神儒二道之徒,很久以来就对佛教所处的地位和僧侣毫无作为而徒事尊荣奢侈的行为表示憎恶。这时，他们看到所鼓吹的思想即将实现，王政复古的大业已经开始，便发起了'废佛毁释'，并把它作为'尊王攘夷'的余波，将佛教当作'夷狄之教法'，甚至连儒道也当作'外教'，不免给予部分的排斥。"① 其实，除此之外，许多僧徒的生活已经完全失去自制；有的僧院甚至开妓院，严重波荡了社会风化。幕末到明治时期的传教士以及植村正久、本多庸一、井深梶之助、小崎弘道、海老名弹正、内村鑑三等曾经严厉指责寺院蓄娼，即戒律与实际生活的严重违背。② 总之，寺庙的生活自肃已经成为突出的问题。而这就不仅仅是宗教内部的争夺正统和相互排斥问题。废佛毁释运动的开展，其机缘有几方面，即，其一，重神道提倡天皇万世一系、绝对忠君的伦理要求，其二，佛教面临严重的道德自肃问题，其三，其它传统宗教尤其是神道利用国家主义张目，为夺取统治地位而排斥佛教。正是在这一背景下，明治初年政府就公布了《神佛分离令》，明确了政教合一的制度。明治五年三月，政府又颁布了三条教则，宣布"应体敬神爱国之旨"，"应明天理人道"，"应奉戴皇上，尊守朝旨"。这样，从新政府到其它宗教界都对佛教施加了压力，同时，佛教界内部的自我改造也提到日程上来。

　　也正是在这样严峻的形势下，佛教界开始了变革的过程。明治初年至二年，佛教界的宗团运动和逐渐开展的伦理运动最值得注目。新时期佛教宗派的分合不仅是组织的变迁和教义的分歧，而且还体现在他们对待社会伦理和时代价值观的态度上。例如，明治初年，结成了超越各宗派的诸宗同德会盟。真宗本愿寺派结成了曹洞宗曹洞扶宗会，要求报父母生育之恩、皇上至仁之恩、大悲摄化之恩、人民交际之恩。

---

① 《日本佛教史纲》第301页。杨曾文译，商务印书馆，1992年3月。
② 见吉田久一《日本の近代社会と佛教》第67页。评论社，昭和四十五年九月。

面对宗教组织内部戒律松弛的现状，一些僧人积极整肃道德规范。例如，福田行诫强调通过强化戒律恢复僧道。释云照提出十善戒：不杀生戒、不偷盗戒、不邪淫戒、不妄语戒、不绮语戒、不恶口戒、不两舌戒、不悭贪戒、不瞋恚戒、不邪见戒。他在东京目白学圆结成十善会，发行《十善宝窟》。希望一洗僧门积弊，复兴戒律。但是，尽管他们强调自律，却没有自觉地针对当时佛寺的弊端开展废娼运动。这就显示出其不彻底性。

佛教各宗在进行一般传统的活动外，加强了社会活动，尤其突出了其关心社会的态度和将其基本伦理加以实践的特征。例如，各宗加强了到当时工厂、矿山等地的传教活动，提倡报恩伦理的重要性；兴办各种福利事业，突出其慈悲观念；要求改善贱民的社会地位，对刑狱进行道德训诲和感化活动；提倡禁酒等等。总之，这一方面是推动其伦理宣传并扩大其伦理的新实践，同时也是在基督教发展中面临压力做出的一种竞争表现。

配合政府的伦理教育是佛教界社会活动的重要内容。如上所说的佛教界一些思想家维护和支持明治政府的专制，也是当时佛教界的显著特点（当然，一些佛教思想家更强调佛教的独立性，如福田行诫认为佛法和王法并重是佛法之耻）。明治二十年代，大内青峦等提倡尊皇奉佛、突出国权主义。这同时也是它的保守性所在。而对于政治的积极干预态度则一直传延至今。但是，尽管佛教界进行了一些改革和顺应政府的活动，但它仍然和保守的国家主义信念并不吻合，尤其是正处于向帝国主义发展时期所需要的狂傲精神，和佛教伦理产生冲突。于是，就在明治三十一年，加藤弘之、井上哲次郎、木村鹰太郎提倡新国学新神道，开始了排佛运动。木村著《道德国家及东亚问题上排佛教》[①] 认为佛教的哲理没有道德的基础，退缩厌世，只能使国民衰弱。东亚各国信佛，以

---

① 松荣堂，明治二十七年五月。

至于如此衰弱。井上哲次郎认为佛教的历史发展使它加上了许多不必要的东西①。总之,在此方面,保守的思想家试图加强思想统一的形式和道德力量在忠君爱国原则下的力量凝聚,由此展开了正统思想对宗教伦理的排击。

排佛运动无疑强化了佛教思想的变革意识,同时在伦理方面也面临应对社会的力量问题。新佛教运动代表了其中积极的也是激烈的方向。新佛教运动兴起于 1900 年,前后持续了十五年。高岛米峰在回顾新佛教运动时说,其纲领特别突出了致力于社会改善、剿灭迷信的内容。② 而新佛教徒同志会的境野黄洋在《新佛教》三、四、五号上连载《宗教之近世着色》提出佛教的运动目标是物质的、感情欲望主义的、推究的、科学的、常识的、现实的、伦理的、理性的、活动的、自由的、快活的、宽容的、有生气的宗教、佛教的和平主义等十五项,试图以新时代的价值精神来净化佛教伦理。而该运动在专制主义强化时期出现,不久就遭到弹压。其后的伦理运动逐渐走上成为"侵略正义"的保护伞。

三、佛教伦理的哲学阐释

佛教界面临新思想新价值观的挑战和自身内部的整肃问题,集中地体现在要求净化伦理观念和行为上。从它所发生的这一活动来说,既出于外在压力,也是自身内部提出的要求。从被动的角度来看,主要是佛教是外来宗教而受到排斥,佛教伦理与近代价值观调协的问题和自身生活的整肃问题。实际上,在德川幕府时期,

---

① 参阅井《上哲次郎自传》第 40 页,富山房,昭和四十八年十二月。

② 《高岛米峰自叙传》第 193－215 页。学风书院,1946 年。

佛教在伦理上已经经过了一场世俗化的解释和对应运动。[①] 而在近代文明开化和启蒙思想的冲击下,就要求在更高的理论上完善其价值主张。

从积极的自我改造和争取发展条件来说,近代佛教界人士逐渐认识到从更高的理论形态上来重新解释宗教独立方面的价值和佛教伦理净化、社会化的重要性。而首先是在宗教独立方面的态度,它成为佛教伦理面临重要的考验之一。因为佛教伦理的真正价值必须在其具有独立的社会形象树立之后始为可能。针对文明开化,佛教内部也开展启蒙运动。由真宗为首的以大内青峦、加藤九郎、原坦山、大洲铁然、岛地默雷、赤松连城、石川舜台、大谷光莹等为代表,通过《报四丛谈》、《共存杂志》等,提出宗教自由(明治五年左右)。同时,针对政府的政教合一压制,真宗西本愿寺委派岛地默雷、赤松连城和梅上泽融等人到西欧考察宗教,总结其经验,回国后批判当时政府制定的"三条教则"(敬神爱国、明天理人道,奉戴皇上遵守朝旨)混淆政教,也就是批判政府在思想专制的形式下恢复神道从儒家那里吸收的伦理纲要。

净化佛教伦理包括组织内部的纯化品行运动和哲学上伦理学说的新解释。而在佛教伦理的自我净化和社会化改造方面,也同样突出了哲学方面的解释和对社会所必有的贡献的宣扬上。在这里,两方面的解说最引人注目。一是内在精神的需要,二是佛教哲学的真理性。易言之,是社会需要的贯穿,同时具有传统的力量,即传统文化的弘扬。在哲学上,洋学僧吸收了西方哲学的方法。其代表井上圆了在所谓的"纯正哲学"的视野下重新审视佛教。一方面排击基督教,认为良心不是天赋的,而是进化的;没有自由意志,决断能力乃是因缘之产物。另一方面抨击迷信,通过组织修身

①　参阅杨曾文著:《日本佛教史》第 553－554 页。浙江人民出版社,1995 年 9月。

教会而积极复兴道德。他也吸收传统道德,提出安心立命,解决精神内在的劝善惩恶,即全治心性之病的问题。[①] 此外,清泽满之强调戒即信、自律而非他律。主张对教理开展自由讨论、具有批评精神。而井上圆了则进一步完善佛教的道德体系。例如,在明治二十三年出版的《佛教活论——显正活论》中,井上指出,譬如人们批评佛教具有偶像论倾向,而如佛像等,实际上是一种艺术的象征,并经由此媒介而体会道德模范。[②] 同时,他论述因缘为阶梯而达真如,内在道德即主观道德与客观道德即佛陀之实在的统一,个体道德体验和社会全体标准的统一,圆教——净土与禅宗的和谐等等。很显然,要求通过自身的思想发展来适应社会的批判,并发现自身在社会中的真实功能尤其是道德功能来完善社会。哲学论证的另一方面是佛教伦理的社会化以及参与对世俗伦理的批判,例如反自利主义的主张就是对佛教伦理的新阐释。但同时,另一方面,他们积极配合社会的国家主义道德教育,排斥基督教。[③] 实际上,在其方向上自然地维护意识形态,以获得自己的独立地位。当然,通过批判基督教,辨明真正的真理性之宗教是佛教,既可以显示新的时代需要所在,也可以事先解除人们对宗教尤其是外来宗教以及宗教信仰中的出世化态度。

在佛教伦理的哲学化阐释问题上,来自基督教的批评也是必须做出回应的重要环节,而且在同属"外教"的范围内,其力量较量更具有现实的意义。在佛教与基督教的关系中,既存在着佛教界对基督教的攻击显示其忽视宗教自由的不彻底性,同时也因借助于宗教伦理的冲突来维护佛教伦理,或者说进一步解释佛教伦理

---

① 《哲学一朝话》,明治二十四年出版。《井上圆了选集》第一卷第 265 页。东洋大学,1987 年 10 月。

② 《井上圆了选集》第四卷第 369 页。

③ 如井上于明治二十年出版的《佛教活论——破邪活论》就是代表作。

而表现出其思想的深化特色。例如,在明治二十年代后半期,基督教徒指责佛教如《大乘起信论》中所说的真如或戒律走向了厌世主义,违反文明社会繁荣的方向。而佛教界的改革之士则借此宣扬,"正信"源自制欲知足,但它所强调的是内在自省自律,而不是抑制人的自然性情以妨碍社会伦理。① 易言之,通过宗教之间的互相批评来完善自身的教义解说和伦理再阐释,体现了佛教伦理运动的一个重要特色。

四、日本佛教伦理对于近代思想的影响

考察日本近代伦理思想史的演变历程,可以了然各种思潮的碰撞与融合的时代特征。佛教伦理与启蒙思想和国家主义思想之间,存在着错综复杂的关系。这种关系包括几个方面。其一,各种思想在继承传统伦理以高扬国家主义、民族主义方面是一致的,至少在其精神指向上具有同工异曲之妙。其二,佛教伦理在启蒙主义激烈的时期曾经受到批判,同时在国家主义最激烈的时期再次受到批判和打击。其三,佛教伦理中所包含的平等意识和追求宗教自由的努力,构成近代思想重要的一环;同时,它所提出慈悲观念和社会福利建设活动对近代社会思想的发展具有重要的刺激和推动作用。佛教中所包含的平等思想对近代接受西方自由平等观起到了潜在的支持作用。当然,与中国近代相比,尤其是佛教伦理在中国近代启蒙思想中的力量发挥相比,日本近代启蒙思想所接受的佛教平等意识要淡薄得多。而且,在日本,佛教的平等伦理本

---

① 参阅笠原一男编:《(世界宗教史丛书)日本宗教史Ⅱ》第352页。山川出版社,1982年10月。

来具有抗拒皇权至上主义的力量的作用,但由于它在积极参与社会活动过程中发挥了其传统以来接受儒家和神道的忠孝大义的深刻影响,在实际上参与了推动伦理专制主义的活动。新佛教运动在伦理上的指向具有清除伦理专制主义的价值,但由于受到专制主义的压制而遭到挫折,从而使日本近代以来的政教伦理合一的绝对主义支配了精神活动和社会活动的方向。由是而言,近代日本佛教伦理在近代思想中的影响是双重的:一方面成为近代道德观念重建的重要一环,另一方面推动了国家主义的行程。就后者而言,随着日本对外扩张战争的加剧,佛教界起到了推波助澜的作用。例如,1904 年召开的宗教各界两千人大会对日俄战争瓜分中国的美化和以伦理为战争张目的举动,淋漓尽致地展示了其精神活动中所隐藏的不道德情状。例如,在它的宣言中指出:"日俄交战是为了日本帝国的安全和东洋永久的和平,并为了世界的文明、正义、人道而进行的,与宗教的不同和人权的异同毫无关系。故我们宗教家不问宗派人种之异同,在此相会,各自诉诸公正信念,相与向世界表明此交战的真相,望速获得光荣的和平。"① 正因为如此,大约从本世纪初开始,政府加强了对佛教的利用,以强化其遏制各种思潮发展的力量。当然,在这里应该突出的佛教伦理对近代思想的同步和刺激作用尚有其它两个重要方面,这就是新佛教徒同志会所彰显的健全的信仰、社会改善、自由讨论、消灭迷信等思想活动和禅宗忽滑快天对进化伦理的肯定② 和克己主义的提倡。这就使佛教内部或者说对佛教发展关心人士中的积极思想不仅促动佛教伦理自身的完善,同时也在近代思想趋向专制的重要时期承续了近代伦理思想的积极方面。

---

① 参阅圭室谛成:《日本佛教史》近世近代篇第二章之五。法藏馆,1967 年。
② 《禅宗评论》,《和融志》八卷一号。

五、比较研究的几个视点

从思想文化的历史进程来看,在启蒙运动之前,日本受佛教文化的影响要比中国更为深厚。因而,在佛教发展的过程中,充满着自身的历史挑战,即面对启蒙运动所提倡的积极的社会发展意识和现代化世俗化目标,如何保持自身宗教的独立性和适应社会发展和启蒙运动的压力。由于这一立场与启蒙运动之间的关系特别紧张,其冲突也更为激烈。与此相对照,中国的启蒙思想家更多自觉地吸收佛教伦理为新的价值观做出理论上的建设。正因为如此,启蒙思想家与佛教徒之间的冲突也就比较自然地趋于和缓。

日本佛教变革运动对中国近代思想产生了重要的影响。例如,康有为和谭嗣同强调佛教慈悲和平等意识,而他们之所以积极介绍佛教伦理的价值,在于如谭嗣同所说的,日本明治改革的成功,佛教伦理隐为助力发挥了重要的作用。而中国近代提倡佛教伦理最热烈的章太炎无疑受到了日本新佛教运动的重要影响。[①]他提倡佛教伦理而反对迷信。他在《答铁铮》中说:"……顾以为光复诸华,彼我执不相若,而优胜劣败之见既深中于人心,非不顾利害蹈死如饴者,则必不能以奋起;就起亦不能持久。故治气定心之术,当素养也。明之末世,与满洲相抗百折不回者,非耽悦禅观之士,即姚江学派之徒。日本维新,亦由王学为其先导。王学岂有他长,亦曰自尊无畏而已。其义理高远者,大抵本之佛乘。而普教国人,则不过斩截数语,此即禅宗之长技也。仆于佛学,岂无简择?

---

① 参阅陈继东撰:《在日本新发现杨文会居士的资料》,《原学》第四辑,1996 年 4 月。

盖以支那德教,虽各殊途,而根原所在,悉归于一,曰:依自不依他耳。上自孔子,至于孟荀性善性恶互相斗讼,迄宋世则有程朱,与程朱立异者复有陆王,与陆王立异者复有颜李,虽虚实不同,拘通异状,而自贵其心、不以鬼神为奥,主一也。佛教行于中国,宗派十数,独禅宗为盛者,即以自贵其心不援鬼神,与中国心理相合。故仆于佛教,独净土秘密二宗有所不取,以其近于祈祷,猥自卑屈,与勇猛无畏之心相左耳。"① 他不仅和谭嗣同一样强调日本佛教伦理的社会功能(佛教伦理经由王学而发生影响),而且和新佛教同志会通过佛教伦理净化改造社会、反对迷信的观点一致。另一方面,中日学者借鉴西方哲学方法改造佛教伦理的做法具有共同性质。例如,梁启超在《论佛教与群治之关系》一文中提出佛教之信仰乃智信而非迷信,乃兼善而非独善,乃入世而非厌世,乃无量而非有限,乃平等而非差别,乃自力而非他力(祸福在己)的主张,强调佛教有助于群治。② 另外,梁氏还用佛教术语和伦理观来比较和接受西方近代以来的伦理学思想。例如,在《近世第一大哲康德之学说》中,他写道:"案佛说有所谓'真如',真如者即康德所谓真我,有自由性者也;有所谓'无明',无明者即康德所谓现象之我,为不可避之理所束缚,无自由性者也。佛说以为吾人自无始以来,即有真如无明之两种子,含于性海识藏之中而互相熏。凡夫以无明熏真如,故迷智为识;学道者复以真如熏无明,故转识成智。……然佛说此真如者,一切众生所公有之体,非一人各有一真如也;而康德谓人皆自有一真我,此其所以为异也。故佛说有一众生不成佛,则我不能成佛,为其体之为一也。此其于普度之义较博深切明;康德谓我苟欲为善人,斯为善人,为其体之自由也,此其于修养

---

① 《太炎文录初编·别录二》,第 40—41 页。上海书店,1992 年 1 月。
② 见《饮冰室合集·文集》第四册(文集之十),上海中华书局 1932 年 8 月。

之义亦较切实而易入。"① 梁启超的这种思想可能受到日本学者的影响。无疑,佛教变革运动与近代思想方法的成熟过程具有同步性,而在这一方面,中日学者的努力具有共同的思想目标。

然而,在其它方面,中日近代佛教的精神指向和对近代思想的影响有明显的差异。例如,中国近代学者更积极地利用和吸收佛教的博爱伦理和独立意识来强化公德和个性主义,并且吸收佛教伦理所提倡的无我爱来体现勇猛之心。当然,这些方面的伦理也曾经影响了无政府主义思潮。而在日本思想界、佛教界的社会活动更加势力庞大,而且在其附合国家主义尊皇伦理教育以及后来的战争中的社会活动和言论活动,强化了法西斯主义的社会影响。总之,其最显著的区别就在于,中国近代思想家利用佛教伦理进行个性主义的启蒙宣传和提倡大同社会的理想主义,而日本佛教变革运动则更突出了现实主义,更明显地趋于政教合一之途。

---

① 《饮冰室合集·文集》第四册(文集之十三),第 60－61 页。上海中华书局 1932 年 8 月。

无常与日本人的美意识

金　勋

　　探讨一种文化、一个民族的审美意识,是一件复杂而艰巨的工作。不同民族由于受到不同自然环境、政治经济条件以及文化宗教等诸要素的影响,在历史发展的漫长过程中逐渐形成各具特色的民族气质和审美意识,这种基本的气质和审美情趣一旦形成,则具有相对稳定性和延续性。在社会生活中,审美意识不仅与历史的、社会的各个要素紧密联系在一起,而且,它藏于一个民族文化心理的深层,只有在具体的审美活动中,外化为具体。这为我们研究、捕捉一个民族的过去和现实的审美价值趋向提供了可能。同时也要求我们不仅要大量收集,掌握一个民族的政治、经济、哲学、宗教、文化、艺术诸方面的资料,而且需要多视觉、多层面,作耐心细致的观察分析。特别是考察像日本文化——这种相对独立于大陆而又千方百计吸收、融汇外来文化的过程中形成独自风格的文化时,更是如此。本文就长期影响日本文化,并在日本文化诸要素中占重要地位的佛教思想,特别是其中佛教无常思想与日本人的美意识的关系作一粗浅的考察。

一、诸行无常，诸法无我

发端于印度的佛教思想，经中国传入朝鲜、日本，在东亚社会产生了广泛而深远的影响。佛教传入日本后，与日本的传统思想文化相接触，不断冲突、磨合，与其它众多要素相融会，形成了既有别于印度，又有别于中国传统文化的，具有自己民族特色的独特的文化类型。这一过程中，无常思想作为佛教哲学中基本的世界观和人生观，对日本文化中诸要素的形成和发展起了不可忽视的作用，并且这种影响延续至今。

佛教哲学之建立，即与"诸行无常"的认识分不开。释迦牟尼四处游历，所见众生疾苦，生老病死之惨状，深感人生之无常，悲众苦之逼切，舍荣华，弃世家，苦行六年，终于悟得解救众生之灭道，大开法门，随机说法，救度众生。那么，何谓诸行无常？中国学者黄忏华编《佛学概论》对此作了较好的概括和解释。

"诸行无常者，行者，迁流转变之义。如《俱舍颂疏》谓，造作迁流二义名行。一切从因缘生之有为法，即世间万象，无一不迁流转变，不遑安住，故通称世间万象为行。其法众多，故云诸行。常者，常住不变之义。世间万象，从于众因缘和合而生，有生即有住有异，有异即有灭。无论为色、为心，为小、为大，无一湛然常住，不在迁流转变之中，故曰诸行无常。"

世间万物万象，无一不是因缘和合之产物，因此，无有恒常不变者，莫论其色心、大小。这就是佛教世界观赖以建立的认识基础。

"无常有二种。一，一期无常；二，念念无常。一期无常者，于某一期间，迁流代谢，终归坏灭。在人，为生老病死；在物，为生住异灭；在世界，为成住坏空。以人言之，宿业既尽，则命光迁谢，无间于岁月之脩短。其至短者，甫托胎即渐灭，乃至在母胎中，一月二月，五月七月；或从胎出，一日二日，五日七日；犹如石火，炯然以过。其较脩者，自十岁二十岁，以至五十六十；而至脩者，亦鲜能出百岁以上，莫不光沈响绝，埋魂幽石，委骨穷尘。如是自幼至老，无非出于无常，入于无常；无有贵贱贤愚，而得免脱。"

显然一期无常是指某一段时间内的变化无住。在人，在物无一例外。

那么，何谓念念无常呢？

"念念无常者，梵语刹那义，翻云念。念念者，刹那刹那也。一切有情非情，不唯有一期之无常也；一期之相续上，又有刹那刹那生住异灭之无常。盖将自其变者而观之，其变宁唯一纪二纪，实为年变。岂唯年变，亦兼月化。何直月化，兼又日迁。沉思谛观，刹那刹那，念念之间，不得停住。"

这是进一步讲，某一时间段内是无常(一期无常)，那么，这一时间段内的瞬间瞬间，都是变化相续，无有停住。这样一来，变化不住的世间万象的本质是什么呢？

如上对无常的认识，很自然引发诸法是否有"我"的争议。对此尽管众说纷纭，但佛教理论根本上主张"诸法无我"。正如《原人论》云：

"形骸之色，思虑之人心，从无始来，因缘力故，念念生灭，相续无穷，如水涓涓，如灯焰焰，身心假合，似一似常，凡愚不觉，执之为我。"

何谓"我"乎？

"我有二种，一人我，二法我，上所述人无我也，此通三乘。尚有法无我，是大乘义。法我者，于五蕴诸法，执为有实自体能自持之实法。其实五蕴诸法，皆由因缘和合而成，如幻如化，无实体性。以众缘生故，有为法即空无自性；而无为法亦即遍于有为法之空性,故曰法无我。"

人无我,法无我,最终悟得性空,这是佛教哲学的世界观和人生观的出发点,是逻辑发展的结果,也是必然归宿。佛教所传之处,这种思想对不同时代,不同地域的民族文化的形成和发展产生了深刻的影响。

二、无常与日本人的美意识

(一)无常与日本古代文学理念

随着佛经和汉文典籍大量传入日本,佛教思想在日本产生了广泛的影响,并逐渐渗透到了人们的心灵深处。

代表中世纪文学最高成就的《平家物语》中就有有关"无常"的描述。

"祇园精舍的钟声,有诸行无常的声响;沙罗双树的花色,显盛者必衰的道理。骄奢者不久长,只如春夜一梦;强梁者终败亡,恰似风前尘土"。

由此可以看出,"诸行无常"的观念,已渗入到日本人的社会认识之中。再如,十四世纪吉田兼好在其《徒然草》中认为"人世正因其变化无常才为可贵","时时变化才使各种事物富于情趣。"提出了积极的无常观。这种思维方式在形成古代日本文学理念方面,表现犹为突出。以下就代表古代日本诗歌最高成就的松尾芭蕉的俳谐为例,作简要的分析。

松尾芭蕉,正保元年(1644)出生在伊贺上野的一个下级武士家庭。十岁左右成为大将藤堂家的继子良忠的门生。良忠(俳号蝉吟)作为北村季吟的老师是贞门俳谐的学者。因此,芭蕉也与贞门很亲近。蝉吟死后,芭蕉离开了故乡。开始从事俳句的创作及相关的诸多作品的创作,如《俳谐次韵》、《武藏曲》、《野ざらし纪行》、《鹿岛纪行》、《笈的小文》、《更科纪行》、《奥之小路》、《冬之日》、《春之日》、《旷野》等等。一提起芭蕉,谁都会立即想起他的著名的俳句。

> 蛙跃古池内,静潴传清响。

凄凉、空寂的古池,忽有一青蛙跃入其内,荡起层层涟漪。这是芭蕉俳句中最脍炙人口之作,在日本可谓家喻户晓。被称之为"蕉风"的芭蕉的俳句,体现了日本的湿风润土培育出来的传统的富有生机的时代性格。正冈子规在《芭蕉杂谈》中认为此句可谓千古绝唱,其神秘是难以言表的。因此,历来对此句的评价仁者见仁,智者见智。为便于中国读者的理解,在此不妨与几首中国古诗作一比较。

如常建的"题破山寺后禅院":

> 清晨入古寺,初日照高林,
> 竹径通幽处,禅房花木深。
> 山光悦鸟性,潭影空人心,
> 万籁此俱寂,唯余钟磬音。

在晨雾中,望古寺,通往古寺的小路在晨雾中依稀可见,寺庙钟声的余音,从远处山坳里传来。置身于那种幽静的环境中,心情也全然被那种"闲静"的气氛笼罩。

又,柳宗元"江雪"云:

> 千山鸟飞绝,万径人踪灭,
> 孤舟蓑笠翁,独钓寒江雪。

层层山林中,连一只鸟也看不到,山路上人迹亦全无。雪悄然地下着,寒江孤舟上,只有一位静静等待"愿者上钩"的老人。

反复吟咏此诗,总能给人一种几分惆怅,几分寂寥。

为便于讨论,让我们再来欣赏几首芭蕉的俳句。

秋日今向暮,枯枝有鸟栖。

晚泊舟相系,无眠觉夜寒。

山寺无人到,寂寞涅槃图。

与前常建、柳宗元之作相比,其意蕴、氛围颇相似,但细细咀嚼,芭蕉的俳句,显然更趋闲寂、纤细、余情。芭蕉领略自然之妙,又更独到。在万籁俱寂的旷野,蒙蒙薄雾,惘然而坐,非醒非眠,耳边响起"蛙跃入水声",芭蕉如梦方醒,悟得世间万象之无住,人生之无常。芭蕉这种接近于纯自然的,甚至有些朦胧、低调的表现手法,所用的含畜文字,并非局限于诗句,而要引起大量的联想,它暗示了一种极富内蕴的认识和情感——生命的空幻。

我们知道,由于地理环境、生产条件、文化背景、心理素质之不同,各个民族的思维方式,也不尽相同。日本是一个自然环境优美的岛国,自古日本民族崇尚自然,歌颂自然,佛教的传入为日本民族的精神生活带来了新鲜空气,而佛教"诸行无常,诸法无我"的世界观,更为广泛地接收和融进日本文化之中。热爱自然的民族风尚和高尚的精神追求融会到一起,所寻求到的人生真谛,使人沉入无尽的遐想之中,在这种心理状态和氛围中,一切将变得美好,心灵充满了淡淡的喜悦,这种喜悦正是审美活动的结果。这种喜悦经一定的反复和若干的跳跃之后,逐渐固定在一个具体的意象上,这个意象包容了许许多多内心冥想的思维成果,草木花鸟作为自然的一部分,作为寄语,充分外射人的内心感受。将外界物象视为内心寄托,又以内心世界的主观幻象包容并概念外界物象。而这种艺术活动的深层心理基础和原动力则是"诸行无常,诸法无我","我心即佛"的佛教人生哲学。永恒的解脱并非易事,喧嚣烦杂的尘世,时常侵扰宁静的心灵,便奏出了常与无常的交响曲,"闲寂、幽玄、纤细、余情等古代日本文学特有的理念,从中逐渐形成并发展起来,深深扎根于日本文化的土壤之中。

(二)无常与日本近代文学

如前所述,无常是日本古代文学理念形成和发展的重要理论基石之一。但时至今日,很少有人将无常与日本近代文学结合起来探讨。究其原因,盖是多方面的。其中,主要是由于受西方文艺思潮、思维方式的影响,多与社会政治、经济因素结合起来探讨,而忽视了东方文化固有的传统和审美情趣。

日本近现代文学就其发展来看,形成了诸多流派。如写实、浪漫、复古、自然、反自然主义等等,产生了众多优秀作家和作品。本文就以如前所述的佛教思想,特别是无常思想影响下形成和发展起来的古代文学理念对近现代文学的影响为基本线索,着重对近现代文学史上具有代表性,且议论纷纷的三岛由纪夫和川端康成的审美意识的基本特征作一简要分析,以探明日本人审美意识的变化和发展方向。

日本著名作家佐伯彰一曾说"我反复强调三岛由纪夫是现代作家中最难评论的一个。"有人认为三岛属唯美派,也有人认为三岛属浪漫派。他的作品确实不乏唯美、浪漫色彩。但笔者认为,我们更不应忽视其本人的表白——三岛认为自己属古典派。与任何一个事物都有其发生发展的过去、现在、将来一样,一个作家的成长亦不例外。像三岛这样有个性的作家更是如此。

三岛由纪夫是经历了战争与战后生活体验的作家,因此摆在他眼前的是破碎的山河、扭曲的人性。因此,他的作品大量地描写爱与性,来探求人性的禁锢与解放,人的本能的窒息与复苏,并从其独具个性的理性思维中探索人性美的本质,以证实人性的真实。

他在自传体小说《假面对白》中,完全拂去伪善的外衣,把深藏于意识深层的自我充分暴露出来。然后,冷静地剖析自己的异常的性冲动。小说中主人公"我"与园子的从追求肉体的爱到精神的爱,以至破灭过程中,主人公"我"极力通过美男子江的同性爱来寻求突破口。这种异常的性欲和性别倒错的追求,可说反映了三岛追求唯美,寻求浪漫的一面。但更为重要的是,它是三岛世界观和人生观的真实写照。他认为人"越活着就越变丑,人生就是整个的颠倒。"因此,他极力从伪善中挖掘诚实,从丑中发现美,从死意识生。这是三岛对无常人生的本质的一种理性探索和艺术实践的结果。因此,可以认为三岛的审美价值观是建立在虚妄的现实之上,而这种虚妄绝非对现实的简单否定,而是基于对人生的"倒错"的佛教世界观。

《金阁寺》就是他这方面的代表作。主人公沟口先生是为金阁寺无与伦比的美所征服,推崇倍至,并为之倾倒在这种美的享受中,他过着充实圆满的生活。但日本战败之后,他的内心世界陷入极度空虚之中。眼前丑恶的现实,肉体的残疾,与他所推崇的传统美的象征——金阁寺形成了鲜明的对照。曾经是美的化身的金阁寺,逐渐成为其烦恼、诅咒的对象。这时美反倒成为沟口求得新生的羁绊。于是,将金阁寺付之一炬,以求自我的新生。其结果,正如作者在《金阁寺》中所道出的那样"人容易毁灭的形象,反而浮现出永生的幻想。而金阁寺坚固的美却反而出现了毁灭的可能性。像人那样,有能力致死的东西是不会根绝的,而像金阁寺那样,不灭的东西却是可能消灭的"。这说明作家对美的寻求是观念的、虚妄的。也就是说,三岛认为只有在虚幻中,才能捕捉到美。正如三岛从另一个角度说明这个道理,"如果世上的人是通过生活与行动来体味恶的话,我则尽可能深深地潜沉在精神界的恶里。"现实是恶的,精神界也是恶的。那么,美所要存在的根据是什么呢?

三岛绝笔之作《丰饶之海》,可谓是探求人生真谛、美的本质之佳作。《丰饶之海》四部曲,通过从开篇自始至终活跃于四部曲中的本多繁治,提示《春雪》中的清显,《奔马》中的饭沼勋,《晓寺》中的月光公主,以及《天人五衰》中的安永逸的轮回转世,反反复复地提醒读者五衰之转世,天人之转世亦在所难免,并以梦维系四个转世过程。清显的恋人聪子,经过六、七十年变迁,失去记忆,走向净化,到头来是一场空,一切不过是一场幻梦。这不正是证得了"色即是空,空即是色","诸行无常,诸法无我"的道理？这既是三岛文学的出发点,也是他寻求至美的必然归宿。当然,我们并不能以此简单地把三岛审美观概括为完全建立于佛教世界观,三岛是有个性的作家,其作品是复杂的,但至少可以说其作品的底蕴中佛教思想的影响是不可忽视的,甚至可以说所占地位非同一般。另外,三岛作品中不无宣扬暴力、美化天皇人格的内容,这是三岛晚期从文学的探索,转向政治、社会的另一个侧面的反映。但它并不影响我们评价三岛文学的古典审美情趣。

川端康成也是日本现代文学史上成就非凡,且颇有争议的作家。他出身没落贵族家庭,自幼受到较好的汉学熏陶,酷爱古典文学,阅读了《枕草子》,《徒然草》,《方丈记》,《浮世草子》,《源氏物语》等大量日本古典文学作品,这为后来构筑独具特色的川端美学世界打下了坚实的基础。对传统美的追求成为了川端文学创作的内蕴和一贯始终的目标。

他的早期作品《伊豆舞女》就是显示川端文学古典美风格的代表作。二战期间,川端依然热衷于古典文学作品的研读,正如他所说的,"在二战期间,我把自己的心融到《源氏物语》中去了,这多少包含着对时势的反抗和讽刺。"他认为,"这是一种摆脱战争色彩的美。"这种超然的生活态度,与其说川端逃避现实,倒不如说表明了他对传统美的执着追求。这种追求贯穿于他的艺术追求的始终。川端在其诺贝尔奖获奖演讲《我在美丽的日本》中指出:"在日本,雪月花几个字表达四季时空变化的美,是包括着山川草木,宇宙万物,大自然的一切,以至人的感情的美,是有其传统的。"以雪月花为宇宙万物,是一种世界观,这种世界观以四季时令变化的美为美,是自然美,也是人情美。但本质上是变化无常的,究其根本是虚无的。而这种"无"正是川端所要构筑的至高的美的世界。小说《湖》,可以说是这种探索的结晶。它描写了一个长了一双丑陋的脚的男子,企图去跟踪美貌的女子,通过寻求一种想象中的美来解脱丑陋的自我。尽管这是一种非现实的、抽象的精神追求和憧憬。

再如川端作品中经常提及的死,川端受佛教无常思想的影响,经常以极亲切的口吻谈及死。他认为,艺术的最高境界的实现,与死相关。这样一来,在其作品中生与死的界限变得极为模糊。因为,"生来死去都是幻。"这种幻可以说是佛教无常思想的艺术再现。

川端在夏威夷大学讲演中,更清楚地表述了其审美价值趋向。他在评价日本文学时指出:"假如说日本文学今后还会有上升期,产生新的紫式部和芭蕉,那就是我所期待的。"川端说,"紫式部有一颗可以流贯到芭蕉的心"。那么,我们是否也可以说,芭蕉应该有一颗流贯到川端的日本心,而川端又有一颗流贯日本文学未来的日本心。川端在讲这番话的同时,及时地提到了芭蕉在澳洲小路旅行途中所留下的那首著名的辞世之句。

长空病雁落,旅宿觉夜寒。

川端的自杀,盖是芭蕉辞世之句的艺术再现,是一种美的完成吧! 无常的世界观驱使他去追求虚幻的美,虚幻的美使得他走过了无常的人生。

三、结　语

无常的观念,在造就日本人的精神世界方面产生了深远的影响,以至于"在日本人的外表生活中,每一件事上似乎都留着无常的特性。"① 无常的观念,为日本人所接受,并成为其文化的内在

---

① 小泉八云《日本文明的天性》。

动力之一,与日本人所生活的自然环境也有着密不可分的关系。小泉八云分析道:"大地本身就是无常的土地。河流时常变迁,海岸时常递嬗,而平原也时常起伏,火山的高峰,一会高,一会碎,石熔山崩,填满了幽谷,湖泊则忽隐忽现,甚至那一时无双的富士山,它那白雪皑皑的奇迹,为数世纪许多艺术家感兴趣的焦点,据说自从我到日本后,已经微微地变过样子了"。无常的自然条件、生活环境及社会实践,使得日本人并没有仅仅停留在佛教思想的理解上,而更是在"无常"中求得生存,求进取。

看似寻常的"无常",蕴涵着无穷的精神力量和艺术魅力。对世间万象的无常的认识,使得人们更加现实而辨证地对待一切事物,更加激发人的奋发、创新精神。这种追求,在理性世界中则表现为审美情趣的升华。常与无常,现实与观念,沉沦与超越,都体现了日本人对无常思想的理解和认识,正是这种复杂的认识与日本固有的民族文化及社会实践相结合,构筑了日本人美妙而多彩的美的精神世界。

参考文献:

1.《日本人的美意识》叶渭渠、唐月梅 开明出版社

2.《日本古代文学思潮史》叶渭渠 中国社会科学出版社

3.《佛学概论》黄忏华 中国佛教协会刊行

4.《日本俳句史》彭恩华 学林出版社

5.《日本文学史》吉田精一 岩波书店

6.《禅与中国文化》葛兆光 上海人民出版社

7.《现代文学史》小田切秀雄

8.《川端康成散文集》百花文艺出版社

9.《唐诗三百首》

10.《松尾芭蕉全集》

铃木大拙禅学对中国的影响

魏常海

铃木大拙(1870－1966)是日本近现代著名的佛教学者,他是迄今为止向欧美传禅的人物中贡献最大、最有影响的人物。而且,他建立在长期参禅体验基础上的禅学研究,对禅学思想的发展也有卓越贡献。

铃木大拙出生于日本石川县金泽市本多町,5岁丧父,家境贫困,读书到高中一年级,不得不中途退学,曾在一高等小学担任英语教师。20岁时丧母,于是在富山县国泰寺参禅。21岁时(1891)游学东京,曾就读于早稻田大学的前身东京专门学校,但不久经友人介绍,入镰仓圆觉寺相继从今北洪川、释宗演参禅,从此专意于禅道修行,与此同时,由至友西田几多郎推荐入东京大学哲学科选科,1894年毕业,经释宗演推荐赴美国从事学术工作,在一家出版社的编辑部就职,撰写有关东洋学的论说、评论,校正有关东洋学的著作,1909年归国,在美国居留了12年。在此期间,他主要精力用于禅的修行和研究方面,1900年出版了他的《大乘起信论》英译本,从此引起美国学界的注目。后来发表了一系列的文章和讲演。1907年英国出版了他的英文著作《大乘佛教概论》,1908年赴英国、法国、德国等欧洲国家从事学术活动,后经瑞士回国。回国之后历任学习院讲师、东京大学讲师、学习院教授、大谷大学教授，1947 年得文化勋章。他又多次到美国、英国的一些大学讲有关禅学的课题。1934 年 5、6 月间曾到中国各地和朝鲜巡访佛迹。

铃木的著作极丰，超过百册，大半是有关禅学方面的。其著述大体分为七类：一、对禅本身及禅的体悟进行哲学的解释、说明。二、禅与日本文化的关系方面的内容。三、禅与其他思想理论的关联。四、人物研究，几乎都是禅学方面的人物。五、对佛教各宗派的研究及佛教概论性著述。六、关于"日本的灵性"的研究，集中在1944 年至 1948 年二战结束前后。七、其他，诸如关于宗教、宗教与生活、宗教与科学、宗教与哲学、宗教与文化、宗教与现代、东方与西方等课题的研究。① 1952 至 1958 年，春秋社出版了《铃木大拙选集》正 13 卷、续 8 卷、追续 5 卷，合计 26 卷。1968 年至 1971年，岩波书店出版了《铃木大拙全集》30 卷，别卷 2 卷。《全集》和《选集》是研究铃木大拙学术思想的基本资料。

铃木的禅学思想包括许多方面，其禅学思想最显著的特点是，"不是停留在对禅学的思想理论研究中的言词，不是今天人们所尊奉的经典中所记载的那些语句。……并不只是出自佛之口的以其智慧为基础的教义，而应看做是熔铸着佛的修行体验的实际生活本身。"② 在这里，仅就其与中国禅联系比较密切的几个方面进行论述分析。

其一，对赵州禅的继承和发挥。铃木大拙受唐代禅僧赵州从谂的影响极大，很早就对《赵州录》抱有兴趣，在他的主要著作中，如《什么是禅》(1930 年出版)、《无心论》(1939 年出版)、《净土观·名号·禅》(1942 年出版，同年又收入《净土系思想论》一书中)等，都介绍了赵州的思想，晚年还校订出版了日译本《赵州禅师语录》

---

① 参见《近代化的佛教思想》，芹川博通著，大东出版社 1989 年版。
② 《什么是禅·佛教的基本概念》。

(1962年出版)。另外，他的论文《通禅之路》(1941年)、《赵州禅的一特质》，都对赵州的禅思想进行了深入的分析。

在《净土观·名号·禅》中，他引述赵州与一僧的问答，并加以分析。时赵州问一僧："明又未明，道昏而晓，你在阿那头？"大拙对此解释说：赵州此问的意思是说，明与暗是一对矛盾，在这对矛盾中，你应该站在哪一边？僧答："不在两头。"赵州又问："与么即在中间也？"僧答："若在中间，即在两头。"大拙又解释说：这僧人的意思是，"自己既已说不在两头，当然也不在中间，因为所谓中间，又是造成新的两头的东西，这是没完没了的，所以自己从一开始就不站在二元的论理圈内。"赵州接着说："这僧多少时在老僧者里，作与么语话，不出得三句里。然直饶出得，也在三句里。你作么生？"大拙对此意译为："你在我这里修行有不少时日子吧，难道只会这么说吗？什么两头啦、中间啦，好像说明白了，但毕竟还是没有出两头和中间(或否定、肯定及合一)这三句以上吧。不管怎么说超脱也没有用，不是还在三句里转吗？你还有什么说的？"僧人回答："某甲使得三句。"意思是，自己已经超出两头和中间三句，不拘于三句之中。赵州大概认为这个僧人有悟性，所以说"何不早与么道。"这样，大拙对赵州与一僧的问答作了哲学分析，认为禅是要排除明暗、昏晓、两头、中间即否定、肯定或合一这种带二元论倾向的概念模式的。

《赵州录》中还有一段话：又僧问："久向赵州石桥，到来只见掠彴子""师云："你只见掠彴子，不见赵州石桥。"云："如何是石桥？"师云度驴度马"。"掠彴子"指独木桥。大拙认为，那僧人只见独木桥，不见石桥，是因为仍有分别之心，生死之念。而赵州所说的石桥则是无分别的，驴来默默尔度，马来夜也默然而度。所以他说，赵州所谓"度驴度马"是指"无心的活动"。"无心"，当然是超越分别的，但更重要的是，这样的"无心"是"活动的"、"作用着的"，无心之"无"不是静止。他对"无"的看法，在他后来"即非的论理"中又进一步加以发展了。在大拙看来，"无心的活动"是建立在活动、经验、体验基础之上的，他在1960年由春秋社出版的《禅的思想》一书中，分为禅思想、禅行为、禅回答三篇，论述禅的思想。在第一篇、第二篇中，都特别强调禅行为，他认为，禅思想即是禅行为，禅行为即是禅思想。禅行为是无功用的行为，是无作之作。第三篇禅问答，也是讲修行的行为。大拙在一次公开讲演中曾提出"真空妙用"的说法，他不赞成说"真空妙有"，主张"真空妙用"，认为"有"是静态的，而"用"则是活动的、作用着的。这种"妙用论"在他晚年思想中常常表现出来。①

《赵州录》（卷上）中还有一则公案。时有僧问："如何是祖师西来意？"师云："庭前柏树子。"学云："和尚，莫将境示人。"师云："我不将境示人。"云："如何是祖师西来意？"师云："庭前柏树子"。许多人认为，这些公案表现出佛教（禅）泛神论的倾向。大拙对此种看法提出批评，他说："对公案只作这种'知'的理解，并不是禅。在这则公案中，全然没有那种形而上学的象征主义"。在他看来，禅与哲学是有区别的，在任何场合，禅都不能与哲学混同。禅有独立存在的理由，这是不能忘记的事实。"如果忘记这个事实，禅的一切就都瓦解了。"他认为，赵州所说的"柏树子"，是指"未来永劫存在的'柏树子'，是与泛神论无缘的存在。"他说，无论从广义上或从通俗意义上说，赵州都不是哲学者，他只是一位禅师，他脱口而出的话，"全都是由他的灵性的经验直下发出的。所以离开这样的'主观主义'（实际上，主观与客观、思维与世界这种二元论，在赵州那里是没有的），'柏树子'也就完全失去了意义。"② 在这里，大拙强调赵州禅是发自他"灵性的经验"，而且是"直下"（不假思索）脱口而出的，因此赵州禅不是哲学理论，而是他参禅体验的结晶。

---

① 参见古田绍钦著《铃木大拙其人及其思想》第18、19、20、21、25页。

② 《禅佛教入门》第100页，春秋社1984年版本。

其二，对临济禅的理解与发挥。铃木很重视对临济禅研究，他专著《临济的基本思想》一书(1949年中央公论社出版)，论述和分析临济的思想。临济是指唐代禅的巨匠、临济宗创始人临济义玄，他的言行录集为《临济录》一卷。《临济录》中有这样一则著名公案：临济上堂云："赤肉团上，有一无位真人，常从汝等诸人面门出入。未证据者，看，看！"时有僧人出问："如何是无位真人？"师下禅床，把住云："道，道！"其僧拟议，师托开云："无位真人是什么干屎橛！"便归方丈。(《临济录·上堂》)铃木从《临济录》中特别抽出这则公案加以分析，并称为"临济的基本思想"。所谓"赤肉团"，是指我们的有血液循环流通着的肉体。"面门"，指眼、耳、鼻、舌、身、意等感觉和思维器官，即所谓"六根"。"未证据"，即未能自觉体认。"真人"一语出自《庄子》，在临济那个时代，"佛陀"有时也译为"真人"。铃木认为，在临济那里，"真人"并不是抽象的概念世界的存在，他显示了真人的活的具体性、平常性。所谓"无位"，是指超绝生与死、佛与众生等种种一切的对待和限定，指"超脱了对峙式的相关性的条件"。所以照铃木的看法，所谓真人，不是普通所说的人，而应该说是使人之所以为人的存在理由，即所谓"见闻觉知的主人公"，也就是"心"或"心法"。这正如临济本人所说："心法无形，通贯十方，在眼曰见，在耳曰闻，在鼻臭香，在口谈论，在手执捉，在足运奔，本是一精明，分为六和合。"(《临济录·示众》)铃木认为，这就是临济所说的"真人"，它主使我们的一般感觉，主使四肢或体躯不断地作用于客观界。临济对那些尚未实地体悟到自身本存在的"真人"的人们，大声呼喊"看，看！"就是要让他们醒悟。

铃木说，临济所说的无位真人常从我们面门出入，意思也就是说我们常在禅中生活，只不过没有这种体验的人，不能自觉地依禅而生活。他引用日本禅师盘圭永琢的话，把这叫做"不生的佛心"。"不生"，即不是后天才有的，因其"不生"，所以也就"不灭"，佛心是不生不灭的。铃木大拙对临济的思想进行考察和分析之后说，禅从某种意义上说,可以用"无位真人"一语加以概括。由此可见,他对《临济录》中这则公案的重视。①。

对于《临济录》中的公案,他常常从禅体验、禅经验的角度加以理解和解释。《临济录》中有著名的"临济四喝":师问僧:"有时一喝如金刚王宝剑,有时一喝如踞地金毛狮子,有时一喝如探竿影草,有时一喝不作一唱用。汝作么生会?"僧拟议,师便喝。铃木说,这里的四喝实际上不限于"四",可以有四喝、五喝、十喝、二十喝,其重点是在于"一喝不作一喝用",这种"喝",发自临济的禅经验,是从三昧而出的东西,所以如狮子突奔,如剑斩长空,这种"无作之作,有掀天动地的作用,又含百雷一时俱落之趣",能使行者顿悟本人心境。②

其三,禅与净土思想的结合。铃木大拙经常说,佛教思想可大体分为两方面,即大智和大悲两个方面,这两个方面,也就是自力佛教和他力佛教,禅与净土教。对于这两者的关系,他在《佛教大意》(1947年大藏出版社出版,这是把为昭和天皇所讲的有关佛教的内容整理成册的,同年还在伦敦刊行了英文版)中进行了论述。该书分为两讲,第一讲是论说大智,第二讲论说大悲,从大智和大悲两个方面阐明佛教的要义。他认为,禅和净土教既然同样都是佛教,那么两种教说在究极的意义上应该是互相联结着的,两者可以说是"同而异,异而同"的关系。只不过,对这种"同而异,异而同"的内容,有时是从禅的立场上说,有时是从净土教的立场上说罢了。概括地说,禅之"证"和净土教之"信",如果对这两者分别论说,当然就看不到两者的联接点。可是,"证"也好,"信"也好,如果从究极的宗教经验上看,如果站在人的灵性的自觉的立场上说,则

---

① 参见秋月龙珉《铃木禅学与西田哲学》第3-6页,春秋社1971年版;古田绍钦《铃木大拙其人及其思想》第25页。

② 《禅的思想》第103页,春秋社1984年版本。

二者不能说没有共同之处。智由悲生，悲从智起，两者本来是一致的。

铃木所说的"共同"，并不是在禅净双修的意义上说的。在中国佛教里，自古即有建立在禅净双修上的一致之说，日本佛教也继承了中国佛教的这种主张。但是铃木所说的共同一致，不是禅和净土教分别在两个教团里主张双修的意义，教团上的双修，是教义上的双修，例如，坐禅与念佛同时并修的念佛禅就是如此，在诸如念佛禅这一类的修行方式中，也不是说完全没有考虑到禅和净土两者建立在宗教的经验上的一致处，不过，这与站在灵性的自觉的立场上所体验到的"异而同，同而异"，其意味仍然不同。

关于大智和大悲的问题，在他1934年刊行的英文著作《般若经的哲学与宗教》(1950年法藏馆出版了日译本)中，即有过详细论述。在该书中他提出，大智之智即智慧之智，大概也就是般若之智，而般若之智也可以称为大悲。照他的说法，"知"作为哲学，应当深入探讨"般若智"这种意识的深渊，通过这样的探根求源，来建构自己的思想理论。而其根源就是《般若经》所说的"空"，这样的"空"作为哲学，或许在现实上显得无力，可是它作为宗教，可以从中发生大悲的作用，使这种作用得以完成的，就是大乘菩萨之心。这"般若智"因何而得？就是在于对"空"的哲学的穷究而得来，这也就是大悲心之所由起。这大悲心是遍及一切众生的，是无限宽广的。他当时向比较缺乏佛教知识的欧洲人和美国人讲解佛教，主张宗教中应当有哲学，并且其哲学应当尊重人，尊重所有的人，而不是把人区别成种类、等级，所以这样的哲学本身就是慈悲的。他强调，佛教中的禅，就正是这样的教义。这部著作的发表，引起许多欧美人对禅的兴趣和共感，使他们对禅逐渐有了理解。后来他进一步发展此书中的观点，便形成了《佛教大意》中的大智、大悲论。

在英文版的《般若经的哲学与宗教》一书出版之后不久，他又写了《禅与念佛的心理学基础》一书(1973年大东出版社出版),分为"看话的工夫与念佛"、"念佛与称名"、"称名的心理与看话工夫的交涉"、"念佛的工夫与称名"等题目,论述禅与念佛、禅与净土教的统一。在这部著作中,他详细论述了自己的禅经验、禅体验,得出结论说:"禅始于悟,终于悟,无悟便无禅"。他认为,禅与念佛二教,在心理上有共同的基础,在中国佛教发展史上有许多二者相互接近的事例,这种历史事实也反映了二者确是相通的。一般说来,禅和念佛都是建立在三昧观上的,所以二者有同质的意识态,就是说,归根结底有共同的心理学的基础。可是站在教团教义的立场上,则主张异质,不讲同质。他又谈到神秘主义,说:"大凡宗教都是建立在神秘经验的基础上的",所以净土教和禅也都不可能脱离这种神秘性,净土教以念佛为其理论基础,禅以看话的工夫为其理论基础,但无论是净土的念佛还是禅的看话工夫,都是归于"一心",从"一心"的心理经验方面,二者根本上是相同的。只是当二者理论化时,便在同一佛教中分成了禅和净土教两种教义体系。他从自己参禅的经验中深切感到,看话的工夫是与话头融为一体的,那么称名念佛也是必与名号融为一体的,对此,他称之为"绝对一元的存在"。

　　铃木所著《净土系思想论》(1942年法藏馆出版)中。收录了他的六篇论文,这就是"真宗管见"、"极乐与娑婆"、"净土观·名号·禅"、"净土观续稿"、"关于他力信心"、"我观净土与名号"等六篇。其基本内容仍是论述禅与净土、大智与大悲等问题的。他在"真宗管见"中指出,净土真宗在教义上主张绝对他力,排斥自力。从自力他力的方面说,净土教是他力之教,禅是自力之教,尽管在宗教经验上,净土教和禅存在着心理的一致,但是作为教义,作为各自的宗学理论,很难说两者一致。不过铃木在"真宗管见"中分析说,所谓他力,是说信者之心要完全投向弥陀,自己要与弥陀的本愿相应,这就要求有往生的自觉,这种自觉,即与禅有一致之处。他在

"极乐与娑婆"中又说,既云往生,则应该往生的极乐必与娑婆相对,可是,往生当然要有"往"的主体,这也就是说,其主体要有往生的自觉。另外"极乐是灵性的世界,娑婆是感觉与知性的世界",极乐不应从知性和感觉的立场去看,而应从灵性上看。这样,极乐和娑婆,从知性和感觉的立场上说是"二",而从灵性的立场上说则是"一",即"二而一,一而二"的关系,两者具有"一如性"。这也暗示出净土与禅的联结点。

在《净土观·名号·禅》里,他继续论说净土与禅的接点,他吸取了日本净土真宗开祖亲鸾《教行信证》中横超的思想和往相、还相等主张,进一步提出,往相必是还相,往生净土并非到净土为止,不是停留在那里,而必须回归,这样的往生又回归,是相互往还的运动,所以净土和秽土是相映互发的,所以他说:从相互往还运动的意义上说,"净土和秽土是既相互矛盾、又自己同一的存在"。这里所说的"自己同一"不是"净土即娑婆"的意味,而是说娑婆否定净土,净土又否定娑婆,是相互矛盾中的同一。要体认这种既相互矛盾、又自己同一的存在,净土教主张依靠称名念佛,从禅的角度说,则必须靠坐禅来体验,这种体认、体验,净土教谓之"入信",禅谓之"悟入",两者异曲同工。禅的公案,例如"赵州无"的公案,就相当于净土教所说的"名号"。从体验上说,禅之"悟入"与净土之"入信"是"一",是"行为的一"。

铃木还认为,净土教的大悲是表现在现实的事实上的,弥陀的净土也就是世上的每个人在其大悲的沐浴下,在世间建立的庄严净土,所以要往生的净土应该是在地上。他吸收华严宗理事无碍、事事无碍等理论,提出,大悲原理就是把不同的人类社会集团,把人间的各种对立导向圆融无碍的原理,从而使世界各国和平共存,共建地上净土成为可能。净土教这样的大悲,即体现在弥陀的四十八愿之中,弥陀四十八愿中的第四十八愿说:"若非一切众生皆成正觉,我即不取正觉"。这是弥陀的本愿,也是净土大悲思想的来源。而与此类似的大悲思想,在禅里同样可以看到。对此,铃木引述了《赵州录》(卷上)中的一段话:崔郎中问:"大善知识还入地狱也无?"师(赵州从谂)云:"老僧末上(最初、最先)入。"崔云:"既是大善知识,为什么入地狱?"师云:"老僧若不入,争得见郎中!"从这则禅问答中不难看出,赵州禅师的思想与弥陀"不取正觉"之愿是息息相通的。

值得注意的是,铃木在讲说净土论时,从来不提"西方净土","唯心净土"这类词语,在他看来,净土之说不过是以刹土的形式象征弥陀的大悲与大智,其大悲与大智不断作用于此土的众生,"净土的意义仅此而已"。但净土毕竟是净土,此土毕竟是此土,两者是"不即"的。而"不即"的两者,从生活和作用上看又是不离的。这种不即不离的关系,从论理(逻辑)上说,就是他后来提出的"即非的论理"。①

其四,创倡即非的论理。铃木大拙在其所著的《日本灵性》(大东出版社 1944 年出版)中,依据姚秦罗什汉译《金刚般若经》的经文,提出了"即非的论理"。《金刚经》中有:"佛说般若波罗蜜多,即非般若波罗蜜多,是名般若波罗蜜多";(第 13 章)"如来说世界,即非世界,是名世界";(第 13 章)"所言一切法,即非一切法,是名一切法。"(第 7 章)这样类似的表述方式,在《金刚经》中可以找出十几处。大拙认为,这是般若系思想的基本论理,也就是禅的基本论理。他把这种论理公式化为:A 即非 A,是名 A。"这就是即非的论理",大拙又称之为"灵性的直觉的论理"。他认为,这种论理是解开禅的公案的关键。

不管什么样的思想理论,只要是可以称之为思想理论,就一定有其自身的理论,东洋与西洋相较,有其独特的思想理论、独特的思维方式,在这种意义上说,东洋也有与西洋不同的论理。然而不

① 参见古田绍钦《铃木大拙其人及其思想》。

管是东洋的论理还是西洋的论理,不管是古代的论理还是现代的论理,都是以"A是A"这样的"同一律"、"自同律"作为原理的,其区别只在于对同一律即"A是A"的表述方式不同。即非的论理从形式上看似乎是对同一律的否定,但实际上也是一种独特的自同律,可以称为"即非的自己同一"。大拙认为,这是站在"如实知见"或"灵性的自觉"的立场上才能把握的"实相论理","要体认这种灵性的论理,不能不有横超的经验。"

他所说的灵性,不同于一般所说的精神或心,其中含有精神或心不能包括的意思。精神或心总是与物(物质)对峙起来考虑,这就发生矛盾、斗争、相克、相杀,使人类不得生存。而把二者统一起来,看到二毕竟不是二而是一,虽说是一,本身又是二,这样看问题,就是灵性。使迄今二元的世界不再相克相杀,而是相即相入,就是人的灵性的自觉。就是说,依灵性的直觉或自觉,可以在精神与物质等对立的世界内面,开出一个统一的世界,使两者既互相矛盾,又不能不互相同一,互相映发。大拙说,能够认识到,物质与精神二元的世界不是相克相杀,而是二者统一,二即是一,一即是二,这种认识性能就是灵性。"也可以把灵性叫做宗教意识",反过来说,"宗教意识是灵性的经验"。关于灵性的作用,他说:"并不是灵性有什么特别的作用力,但它与一般所说的精神的作用确有不同。精神有伦理性,而灵性则超越了它,超越并不是否定之义。精神以分别意识为基础,而灵性则是无分别智,这不是说抹杀分别性之后才有无分别,"而是即分别而说无分别。因为精神运动"并不是只以思想和论理为媒介,它有时也以意志和直觉向前推进,从这方面来看,精神与灵性有共通之处。但是应该说,灵性的直觉力是比精神的直觉力更高层次的东西,所以精神的直觉、意志要以灵性为根据,才能成为超越自我的东西。"

另外,对于灵性与宗教的关系,大拙说:"灵性潜在于精神深处而发生作用,它一旦被自觉,精神的二元性便解消了,精神便能在其本体上感觉、思维、发生意志、进行活动。也就是说,一般所说的精神,并没有触及精神的内在主体,没有涉及自己的正体本身。"他认为,只有精神中的宗教意识,才是对灵性的体验,是灵性的经验。"当精神与物质相对立,有为被其桎梏而烦恼时,便是触及自己灵性的时节。这时候,自己的灵性一旦自觉,对立相克的烦闷便自然云消雾散,这就是本来意义上的宗教。"

大拙认为,日本的灵性的自觉,始于镰仓时代法然和亲鸾继承中国净土思想而创立的净土宗、净土真宗教说中,同时也表现在那时从中国传去的禅宗方面。特别是在禅的方面,很容易发现其中所包含的般若"即非的论理",即灵性的直觉的论理。日本自镰仓时代之后,禅代代相传,从无断绝,在日本人生活的诸多方面发生作用。净土系思想、净土系的灵性,其作用止于一个方面,而禅则与此不同,"禅与其说是宗教,不如说是作为生活本身而在我们中间时刻流行着的东西。"

总而言之,铃木大拙通过对赵州禅、临济禅等中国禅思想的深入体证和探究,又通过对净土教与禅的多方面的比较研究,在《金刚经》般若思想和论理的启发下,终于提出并完成了他的带独创性的"即非的论理"学说,"即非的论理"成了铃木禅学的一个重要支柱,这也应该说是对中国禅、日本禅的一种发展,是佛学研究中的一大贡献。

铃木大拙对中国禅学的贡献,还有一个很重要的方面,那就是对敦煌禅籍的研究、整理、校订、解说等工作。铃木不仅曾到中国巡访佛迹,而且还亲自到英国和法国去调查、收集过敦煌文献资料。1934年,森江书店刊行了他与公田连太郎共同校订的《敦煌出土六祖坛经》、《敦煌出土荷泽神会禅师语录》、《兴圣寺本六祖坛经》。1936年,安宅佛教文库又出版了他的《校刊少室逸书及解说》,并附有他的研究成果《达摩的禅法与思想》等。他通过整理敦煌文献,使中国禅宗史的研究取得了迅速发展,例如对荷泽神会的研究就是其中之一。他的研究成果集成了《禅思想史研究》这部巨著,岩波书店于 1943 年出版了《禅思想史研究》第一,1951 年又出版了《禅思想史研究》第二。岩波书店在 1968 至 1971 年出刊的《铃木大拙全集》30 卷中,《禅思想史研究》居于全集之首,占了前四卷。

禅在 5 世纪时由达摩西来而从印度传到中国,经历中国化的过程,形成了中国的禅宗。从此大约过了六个世纪之后,日僧荣西入宋求法,又把中国禅传到了日本,禅宗便在日本开花结果。荣西之后又过了八个世纪,即由铃木大拙把禅传到了美国、欧洲,使东方之禅在欧美产生了较大的影响。据说著名的实存主义哲学家海德格读了铃木大拙的禅学著作后曾说:"迄今为止我的所有著作中想要说的话,已经全包括在这里(指禅)了。"事实上有些学者也已经指出,海德格的哲学与禅学极为接近。[①] 由此可见铃木所传禅在西方影响之一斑。不仅如此,他在传禅的过程中,实际上对中国禅以及日本禅都有许多发挥,有所创造,有所发展,这反过来又推动中国禅、日本禅的发展。所以应该说,铃木大拙在禅学发展史上有不可磨灭的功绩。

---

① 　参见松冈文库编《铃木大拙其人及其学问》第 51－52 页,春秋社 1992 年出版。

日本近现代佛教新宗派研究

魏常海

在日本的宗教史上曾发生过三次宗教(或称新兴宗教)运动。第一次是在镰仓时代 (1184 - 1333),产生了净土宗、净土真宗、融通念佛宗、时宗、禅宗临济宗、禅宗曹洞宗、日莲宗等佛教新宗派和新教团,这些新宗派和新教团,与飞鸟、奈良时代(593 - 794)从中国(或经朝鲜半岛)传入的南都六宗(三论宗、成实宗、俱舍宗、法相宗、律宗、华严宗)及平安时代(794 - 1184)形成的天台宗、真言宗不同。南都六宗属天皇制国家佛教,平安天台、真言二宗带有贵族佛教的特色,两者都未真正普及到民间。而镰仓时代的新佛教,则在民间得到普及,真正形成了民间信仰性的教团。第二次是从江户时代(1600 - 1868)末期到明治时期(1868 - 1912),形成了以天理教等 13 派教派神道为主的许多新宗教派别(包括一些佛教派别)。第三次是第二次世界大战之后(以下简称"战后"),产生了许多神道系和佛教系的新教派、新教团。这三次新宗教运动,都是在日本历史发生大转折时期发生的,第一次是日本古代天皇制社会向武士掌政的封建制社会转换时期,第二次是日本社会由近世向近代的转换期,第三次则是近代社会向现代社会的转换期。由此可见,日本的新宗教运动都与社会历史的大转换有直接联系。本文主旨是论述分析日本近代以来、特别是战后的新佛教运动和佛教新宗派。

自明治维新前后,日本社会开始步入近代,新宗教运动应运而起,与之相应,日本佛教也发生了深刻的变化。由于明治新政府定神道教为国教,实行"神佛分离"的政策,在社会上引发了"废佛毁释"风潮,佛教受到深重打击。与此同时,国学者、神道家、儒学者以及西方学者等,从伦理的立场对佛教加以责难,或从政治经济的角度、科学思想的角度主张废除佛教,还有与基督教的思想论争等,这些因素,促成了佛教强烈的护法意识,迫使佛教必须变革,才能求生存、求发展。

佛教基于护法意识,采取了与神道、儒学以及科学思想调和的态度,佛学者多主张神道、儒教、佛教三教一致、三教融和,力图以此消解与废佛论者的思想冲突,特别是与作为国教的神道教的调和乃至妥协,是当时佛教者不得不持有的立场。另一面,佛教者对基督教则采取批判的态度,这也是护法意识的一种表现。到明治20年代,作为对明治初期的欧化主义思潮的反动,国粹主义抬头,于是,佛教的护法思想与护国紧密联系在一起。出身于真宗大谷派的著名佛学者井上圆了(1858 – 1919),从东京大学哲学科毕业之后,于 1887 年在东大创设哲学馆(后改为哲学馆大学,又改为东洋大学),教授文、史、哲各科和神、儒、佛各教。又结成"政教社",发行机关刊物《日本人》,宣传国粹主义思想。他著《真理金针》、《佛教活论》等书,提出"护国爱理"、"护法爱国"的主张。他在《佛教活论·序论》中说:"人谁不生而思国家,人谁不学而爱真理。"在他看来,真理与国家比较,当然可以说真理更重要,可是,"若无国家成立,若无人类存在,即使真理独存,谁能知之? 谁能讲之? 盖讲之者,必待学者智者,而学者智者必须存于独立之国家。故学者苟知讲真理,必先求国家之独立。是以护国之任与爱理之责并重。"与此同时,圆了以西方哲学为背景,从哲学的角度对佛教思想进行了深入探讨,他认为,人有"情感与知力"两个方面,佛教是"以情感和合知力,以知力诱导情感,知力、情感相辅相成而得两全"的宗教,耶稣教则是"只偏于情感一边的宗教"。(《真理金针》)所以他极力主张排耶论。

圆了在《佛教活论》中说:佛教的基本原理是"中道",所谓中道,意味着脱离一切执著,极公正地看透现实,从而做出正确的判断和采取正确的行动,这就是佛教的真理。他又讲到真如,说真如是"真正的思想大海,是哲理的源泉,古今东西诸论都只不过是其中的一滴或一分子",并且,真如在与哲学、科学的真理一致的意义上说,它与物质不灭、能量守恒的原理是一样的。他认为,欧洲文明不只是政治、法律、科学、工艺的进步,而且也是由于究明其原理原则的哲学的兴盛,所以东方也应重视哲学、特别是佛教哲学的研究。圆了还谈到所谓"信"的问题,他说:"愚俗之信与学者之信决不同,愚俗之信是所谓妄信,是不辨别道理的唯一信,学者之信则是究尽道理而后所生的信。"(《佛教新论》)据此他专著《妖怪丛书》,对民间的妖怪等迷信进行揭发批评。

明治时期的日本佛教,出于护法的需要,同时也是为了促成佛教的近代化,因而表现出与世俗伦理接近的倾向,开了日本现代佛教现世主义的先河。主张佛法与世法一致的观点,在江户时代就已经出现了,例如曹洞宗学僧玲木正三(1579-1655),根据《华严经》的思想,提出"世法则佛法",(《驴鞍桥》卷中)强调佛法必须能在世间发挥作用,如果佛法不能用于世间,则不是真正的佛法。他的主著《万民德用》,采取无宗派的立场,论述在现实生活的职业伦理实践中,即存在着佛教的本质,认为"修行佛法,灭尽诸障,去除诸苦、此即是士农工商身心安乐之宝。"他的弟子慧中在《石平道人行业记》中说"合三宝德用、四民日用为一体、名曰万民德用。此吾师之第一法典也。"日本近世佛教中重视世俗伦理的观点,在明治时期得到发展,出身于真宗大谷派的著名学僧村上专精(1851—

1929)著《佛教忠孝编》,井上圆了著《忠孝活论》,论述佛教伦理与世俗伦理的一致。另外,还有一些僧人,从佛教戒律主义的观点出发,提倡戒律和世俗道德修养相融合。本来,佛教戒律是以转迷开悟为目的的,与世俗伦理并不相同,但从实际内容上看,确与世俗的伦理道德有许多一致点。所以江户时代的真言宗学僧慈云即著有《十善法语》、《为人之道》,通俗地讲述佛教的十善戒,力图把这些戒条推行到民众中,成为民众生活中的伦理规范,这给予明治时期以护法和佛教革新为目标的学僧和在俗佛教信者很大的影响。他的主张被云照(1827-1909)和福田行诫(1808-1888)等所继承并加以发挥,形成明治时期护法运动的一个重要方面,他们提倡三学主义,三学之中又以戒学复兴为第一,积极主张持戒持律,试图以此来清洗江户以来僧侣中的弊习,从自戒自省的角度护法,同时向民众讲说戒律的易行性,使佛教戒律与民众生活接轨。

明治时期的佛教,在近代过程中所表现出的最突出的特点是,从通佛教的观点出发,超越宗派意识而探求佛教的本来面目和佛教的根本精神。真正的佛教近代化,即是通过对佛教进行历史的考察和对教理开展自由研究而不断推进的。对佛教的自由研究和原典批判的精神,在近世佛教中亦可见其端倪,例如富于批判精神的学者富永仲基(1715-1746)所著的《出定后语》中,最早提出大乘佛教非佛说的主张,这种批判精神,从江户期的护教性的佛教看来是不能容忍的,但到明治时期,却被许多佛学者所注目,并且引发了一场大乘佛说与大乘非佛说的论争。村上专精在1903年著《大乘佛说论批判》,认为不只是大乘,连小乘也不能说是佛说。他特别赞扬富永仲基"在德川幕政之下,于学问、宗教或政治全不允许自由讨论之时,靠自己的独立研究结果,而倡大乘非佛说。"由此他对富永仲基的批判性研究成果给予了高度评价。当然,村上专精并不是要否定大乘佛教,他说:"大乘非佛说的成立与否,在我的信念上没有任何影响。"从大乘教理上说,他并不怀疑大乘佛教的真理性,他只是主张要对佛教经典进行历史的研究,因此他专门探讨了古代印度、中国的大乘佛说论的源流,又对日本近世以来的佛说、非佛说论进行了分析比较。井上圆了在《哲学馆讲义录》中说:"大乘、小乘之名,乃大乘家所用,在小乘家,当然不用大乘,也不用小乘之名。"他对非佛说取辩护态度。真宗佛光寺派出身的东京大学教授姊崎正治(1873-1949)著《佛教圣典史论》,继承富永仲基的大乘非佛说的思想,从人文主义立场出发,认为"佛教思想的非科学性内容,以其大乘佛说为最。"他主张以历史的理性来研究佛教,并重视对原始佛教的研究。大乘佛说与非佛说的论争,在佛教界内外引起了极大的反响,这对于保守的佛教者是一个很大的冲击。这种超宗派的、自由的、历史的考察和研究佛教的气氛,不仅起到了思想启蒙的作用,而且奠定了日本佛学研究的深厚基础,使日本在佛教方面的学术研究在世界上占有极重要的地位。

明治时期,也有些学者试图用实验的方法来把握佛教教理,曹洞宗出身的学僧原坦山(1819-1892)就是其中的代表者,他在东京大学讲读佛典,基于唯识学和《大乘起信论》的思想,导入医学、生理学的方法,主张通过实验、实证,来验证心性的体验,他著《心性实验录》,以图解的方式说明不觉心、和合心、净觉心这三者的关系,提出"诸病本原在惑体,诸惑本体是无明。"对身体与心识的作用进行实证性的新解释。

另外,有些僧人和在俗佛教者抓住信教自由和政教分离等近代的课题,积极主张对佛教进行革新。接触了近代欧洲思想和文化的真宗本愿寺派学僧岛地默雷(1838-1911),首先向政府提出政教分离、信教自由的主张。居士大内青峦(1845-1918),和岛地默雷一起,掀起了佛教革新和思想启蒙运动①。青峦主张良心独

---

① 见《亚洲佛教史·日本编·近代佛教》,中村元、笠原一男、金冈秀友编集,精兴社1987年出版。

立、信仰自由、人权伸张,并认为"信仰自由是人权伸张的一大要点"。他著《信行纲领》,主张以三信(本体平等,现象差别,妙用感应)、三行(止恶、修善、济众)为在家佛教信徒的德行规范。他认为,出家"舍家人辞父母,脱离人间社会",对社会伦理变得漠不关心,这样并不一定有好处(见《明治的新佛教运动》,池田英俊编,吉川弘文馆1976年发行)。青峦的思想和主张,对后来日本的新佛教运动有重要影响。明治后期,净土宗僧人矢吹庆辉(1879 - 1939)提倡"社会的宗派",他说:"所谓社会的宗教,是兼采诸种社会科学之原则,适应现代生活之要求,基于动的宗教观,而为建立理想社会不断进行努力的宗教。……社会的宗教主张调和,主张互相帮助,不只是唤起个人生活的信仰与希望,而且更促使人们去努力建设新的、更美好的社会。"[1] 他又提出"社会的佛教",认为社会的佛教即是社会的宗教,它是以大乘佛教为主干的,因为"大乘佛教以总体联系为其哲理的基础","四弘誓愿是大乘佛教的共同理想,是建立在共同联系的基础上的。"(《思想与生活》)他又解释佛教的无常和无我,提出"无常是进化观,无我是连带共同感"(《社会思想与信仰》),这也是社会的佛教的理论基础。他认为:以大乘佛教为基石的社会的佛教,是利他主义,不是利己主义;是义务主义,不是权利主义;是理想主义,活动主义,不是寂静主义;是共同主义,不是独善主义;是主善主义,不以真为满足;是精神主义,不是形式主义;是加上主义、包括主义、全缘的统一主义。[2] 这些探讨佛教革新之路的理论和主张,促进了新佛教运动的发生、发展。

明治时期的新佛教运动中,最早出现的革新性的佛教结社是"经纬会",于1894年12月由古河勇(古河老川,1871 - 1899)等人

---

[1] 《近代宗教思想论考》。
[2] 见芹川博通著《近代化的佛教思想》,大东出版社1989年发行。

95

创立,其名称的含义是:"以自由讨论之义为经,以进修不息之念为纬。"① "经纬会"发行机关报《佛教》,采取与既成教团对立的态度,主张探讨时代思想与佛教的关系。古河老川撰写社论,提出通过自由研究,对佛教进行全面革新,以适应新时代的要求。他认为,新佛教应致力于道义的感化、社会的改良、文学的发畅。他承继佛教改革者中西牛郎(1859-1930)《在宗教革命论》中提出的观点,认为新佛教和旧佛教有七点不同,旧佛教是保守的、贵族的、物质的、学问的、个人的、教理的、妄想的,新佛教则是进步的、平民的、精神的、信仰的、社会的、历史的、道理的。② 经纬会的核心成员境野哲(境野黄洋,1871-1933)等人,在《佛教》上发表了一系列的论说,极力主张改革旧佛教的弊习,发挥对教理的自由讨论和批判的精神。境野黄洋引经据典,论说佛教中有厌世和乐天两个方面,无常、无我的厌世与常乐我净的乐天是"圆融相即"的关系,应当发挥佛教教理中的积极精神。他指出,旧佛教极缺乏对社会和时代的认识,过去的佛教可分为未来主义的和祈愿现世利益的两种,两者都未必能以正确的姿态对民众进行教化。此外还有学问佛教,也缺乏对民众的感化力。因此他认为,要使佛教健全发展,就应当"排除既成的未来佛教和祈祷佛教",而提倡建立在自由研究基础上的适应新时代的现世主义新佛教。

1899年古河老川去世,经纬会宣布解散,与此同时,境野黄洋等人组成了佛教清徒同志会(后改名为新佛教同志会),继承经纬会的宗旨,继续推进新佛教运动。佛教清徒同志会1900年在其机关报《新佛教》创刊号上登载宣言,宣布六条纲领:1、以佛教的健全信仰为根本义;2、振兴普及健全的信仰、知识及道义;3、主张对佛

① 见中村元等编辑的《亚洲佛教史·日本编·近代佛教》第四章,佼成出版社1976年发行。

② 《老川遗稿》第35、36页。

教及其他宗教的自由探究；4、期望剿绝一切迷信；5、不承认历来的宗教制度及仪式有保持的必要性；6、排斥一切政治上的保护、干涉。那么，佛教清教徒同志会的人们所主张的"健全的信仰"是什么内容呢？对此境野黄洋在《新佛教》第六卷第10号上撰写了《健全的信仰之要件》一文，指出健全的信仰有六个要素，即知识性的，重感情的，现世的，随时活动的，伦理的，乐天的。所谓"重感情的"，黄洋解释说，感情对信仰的形成，比知识有更多的价值，"宗教上所必要的感情，是诗一般的感情"。但知识也是不可缺少的，必须把知识和感情调和起来。对于所谓"随时活动的"，同志会的人们从两方面加以解释，其一，宗教应是人生之光，人生之力，所以应是现实生活中的源头活水；其二，应以宗教性的大安心为基底，开展进修不息的活动。佛教清徒同志会的六条纲领及其对六条纲领的各种解释，表明该会同仁提倡健全的佛教，强烈主张现世主义、伦理主义的鲜明立场，这代表了明治时期新佛教运动的主流方向。

在以古河老川、境野黄洋为代表的新佛教运动开展时，清泽满之(1863－1903)及其同人们也开始提倡精神主义。清泽满之创建"浩浩洞"，并创办《精神界》杂志，宣传自己的主张。他在1901年《精神界》创刊号上发表的《精神主义》一文中说："精神主义是吾人处世的实行主义"，是"完全的自由与绝对的服从双运"的主义。所谓完全的自由，指自由的内心信仰与自戒自律的实践精神。所谓绝对的服从，指对佛、如来的绝对皈依。他调和自立与他力，把自立的精神与向如来的皈依统一起来，认为只有这样才能得到真正的信乐。精神主义又叫"内观主义"，他1900年在《新佛教》一卷六号上发表《内观主义》一文，其中说："主观和客观两者，是主观造客观还是客观造主观，不容易说得清楚。但是在实际生活上，应以主观为主而主使客观。这种强调主观的实际主义即名内观主义。"他言及当时成为问题的厌世、乐天两主义时说："以此世界作为客观的实在，于其实在之上，厌恶污秽痛苦的存在，于其实在之上，欣求文明欢乐的存在,如此都与内观主义相关联。从内观主义说来,可厌恶的世界与可欣喜的天国是同时在我心地上成立的。"清泽满之发起的精神主义运动,强调信仰体验,提倡自戒自律的精神,在佛教界产生了一定的影响。

到大正时期(1912－1926),日本佛教在大正民主运动的洗礼下,一些教团开始进行各方面的改革,以求适应新的形势。在佛教研究方面,继承明治时期的成就,超越教团佛教的框架,从通佛教的观点来把握教理,对根本佛教深入研究,对佛教进行哲学理解,这在当时成为风气。可是不久之后,日本加紧发动侵略战争,同时在国内实行法西斯专制统治,佛教界和其它各界一样受到压制,有进步意义的新佛教运动没有存在的余地,这种状况一直持续到第二次世界大战结束。

战后,日本社会发生巨大变化,走上了现代化的道路,随着政教分离、信教自由等民主政治的实施,佛教界重新活跃起来。战后日本佛教的最显著特点是,新佛教教团的形成及其大发展。就佛教宗派而言,战前的日本佛教有"十三宗五十六派"之说,所谓十三宗,即法相、华严、律、天台、真言、净土、净土真、融通念佛、时、临济、曹洞、日莲、黄檗等十三宗。战后,从既成佛教宗团中分化出的派别多得不胜枚举,但就"宗"而言,仍然是十三宗,各宗的派别数和信徒数,就日本文化厅的统计资料,日莲宗系有 37 派 3000 万人,净土真宗系 10 派 1400 万人,真言系 48 派 1200 万人,曹洞宗系 550 万人,净土宗系 5 派 470 万人,天台宗系 20 派 450 万人,临济宗系 15 派 300 万人。以上七宗总计信徒为 7370 万人,其他六宗信徒为数不多。[①] 各宗派当中,日莲系的信徒占有显著的多数,这是因为,战后发展起来的新佛教宗派中,日莲系居于主要的地位,其中又以创价学会、立正佼成会、灵友会为主。

---

① 　见《日本佛教宗派总述》,大法轮编集部编,大法轮阁 1993 年 9 月发行。

战后新佛教教团何以能够急速发展，从当时的社会情况来看，有以下几个方面的原因：其一，信教自由在制度和法律上有了依据与保障。其二，既成教团的堕落、缺乏活力，已不能适应和满足民众的心理欲求，民众需要有新的宗教产生。其三，战争期间疏散开的人口，战后特别是 50 年代初朝鲜战争所带来的经济复兴（所谓特需景气），又促成人口急剧向城市集中，据统计，1950 年前，农村和城市人口之比为 7∶3，但到 1960 年则变为反比 3∶7。[①] 其四，既成的教团在城市中势力单薄，如净土真宗本愿寺派，当时在全国的寺院、教会有 10714 个，而东京只有 165 个；在全国的教师有 14980 人，而东京只 254 人。净土真宗大谷派在全国的寺院、教会数为 9987 个，东京只 229 个；教师 16610 人，东京只 323 人。而东京人口占日本总人口的十分之一，如果合理分布，真宗在东京的寺院、教会数和教师数，也应占其总数的十分之一，但实际上本愿寺派只有五十分之一，大谷派只有四十分之一，这样，东京几乎是佛教的未开拓地，自然成了新佛教伸展势力的极好舞台。[②] 不过，新佛教教团的发展还要赖其自身的各方面努力，以与社会现实相适应。以下仅就灵友会、立正佼成会、创价学会进行考察分析。

灵友会是在家法华信者久保角太郎（1892－1944）于 1920 年创立的。久保角太郎尊崇日莲，他所开创的灵友会也属于日莲系，但与既成的日莲系教团的传统教义体系不同，而是统合社会现实，对法华经典进行独创性的自由解释。他称自己的法系是释尊—日莲—西田无学（1850－1918，曾创立"佛所护念会"，久保角太郎早年曾参加"佛所护念会"的活动），又称西田无学是"在家成道的开祖"，并继承西田的思想，对《法华经》中的"佛所护念"经文大加发

---

① 《亚洲佛教史·日本编·现代佛教》第 23 页，中村元、笠原一男、金冈秀友 编，佼成出版社 1977 年出版。

② 同上书，第 24 页。

挥。在他看来,既成佛教的僧侣和寺院已成了无意义的存在,在新的时代,"真的佛法"要通过一般在家信者的手才能显现出来。他认为,西洋诸国为"物质文明的一大天职者",东洋诸国为"精神文明的一大使命者",东西两洋的国家应该各自完成自己的使命,创造相应的文明。东洋诸国可以接受西洋文明中所发明的"乐具"(便利用的物质工具),而建设自己理想的"乐土"。然而西洋的使命已经完成,相比之下,东洋却远没有完成自己的使命,而只是倾心于西洋传来的文明的"乐具",因而物质文明与精神的平衡被破坏,结果变成了国与国、个人与个人互相厮打的"颠狂荒乱"的世界。因此他主张,信奉大乘佛教的日本,应致力于"《妙法华经》所开显的精神文明的建设。①

灵友会教说的最大特点是把佛教信仰与祖先供养结合起来。久保角太郎提出,这个宇宙的创造,是由支配物质世界的"天体力"(天体的法则、能量)与支配生命世界的"灵空力"(灵界)交错而成的。天体无意识,灵空有意识,是一切生命现象的发源处。而灵空界的总工程师便是佛陀,灵空界的法律就是佛法,菩萨作为佛陀的使者尊奉法律而在众生间施设方便,进行弘化救济。② 祭祀供养祖先之灵,也就是供养宇宙万灵的"菩萨行"。因为自己之灵、祖先之灵与三界之万灵是相联接着的,所以祖先供养即与三界万灵的供养相通,这也是"灵友会"之名的来由。③ 灵友会主张祖先崇拜、祖先供养,比较容易被日本民众所接受,因为日本人的宗教观自古即有浓重的祖先崇拜色彩,他们相信神人同系、神人同格,神是人的祖先,人是神的后裔,活人和死人不可分割地联系着,所有的人死后都成为神灵,仍然参与活人的生活。明治时代的文学家、思想

---

① 孝本贡编《日本佛教史·大正昭和时代》第168页,1988年6月雄山阁出版。
② 同上书。
③ 见中村元等编《亚洲佛教史·日本编·现代佛教》。

家小泉八云(1850—1904,希腊出生的英国人,后定居日本)曾把日本的道德观评价为"死者的道德",意思是死者支配着的道德,也就是说,日本的道德是祖先支配着的道德。[①] 灵友会正是利用这种传统信仰发展教势,因而获得了比较多的信徒。在日本发动侵略战争期间,灵友会附和军国主义政策,鼓吹忠君爱国,所以能够继续发展。战后于1946年3月正式注册为宗教法人,信徒发展到五六十万户。在战中和战后,不断有新的佛教社团从灵友会中分化出来,但分化出来的新佛教教团,大都仍坚持祖先供养的宗旨,所以可以说,灵友会是以祖先崇拜为特征的新佛教宗派的最大的母胎。

立正佼成会是1938年庭野日敬和长沼妙佼创立并从灵友会中分化独立出来的新佛教团体,原名"立正交成会"。"立正"是"立于正法"之义,即立于《法华经》的教义;"交"指信仰的交流、信者的和的交流;即所谓"异体同心";"成"指人格的完成,成佛理想的实现。1960年6月,为追慕妙佼(1957年去世)对该会的功绩,改"立正交成会"的"交"字为"佼"字。立正佼成会在终战前并不十分显眼,1945年终战时,其宗势自称也不过1300户。但战后得到迅速发展,1950年底为6万户30万会员,1956年30万户150万会员。[②] 成为当时最大的新佛教教团。

佼成会成立之初,其教说仍然沿袭了灵友会祖先供养的传统,提倡孝亲,又吸收了修验道、天理教等宗教派别的一些内容,加上妙佼的"灵能"(借感应神灵之名给人治病、消灾)和日敬在以前学得的姓名学、易学等占卜术,把这些都纳入他们对《妙法华经》的解释之中,形成独特的传教方式,赢得了比较多的信徒。但是,仅靠

---

① 《亚洲佛教史·日本编·现代佛教》第249页。

② 见《现代日本的宗教与政治》,笠原一男,村上重良编,新人物往来社1971年发行。

这样的传教方式,是难于适应社会发展和人们文化水平不断提高的需要的,所以该会在 1956 年至 1960 年的 5 年间,曾出现了一个发展停滞时期。另外,战后异军突起的创价学会也向佼成会大举进攻,创价学会在 1951 年出版的《折伏教典》中即批判佼成会的祖先供养与日莲大圣人没有关系,巫术占卜等为低级迷信,称佼成会为"民间迷信综合大学",视之为邪教。在这种情势下,佼成会必须有所改革。

1957 年长沼妙佼去世后,佼成会不可能再靠灵能传教,必须开展教学活动。于是,庭野日敬采取了一系列的措施,首先确立本会的本尊为"久远实成大恩教主释迦牟尼世尊",同时建立起对会员的教学研修体制,在组织上也有很大变更,为本会的现代化进行了多方面的努力,用庭野日敬的话说,这是佼成会从"迹门"(方便)的时代向"本门"(真实显现)的时代转化。[①] 1960 年施行《立正佼成会会规》,定庭野日敬为初代会长,会长任期终身,会长世袭,会长的后继者由会长决定。1965 年 11 月,该会出版《立正佼成会》一书,其中谈到佛教的本质(根本)的救济方法说:"不是通过念唱什么而得救济的方法,也不是通过祈祷而得救济的加持祈祷式的方法,而是对照'法'(真理)来反省自己的心念、自己的行持,其错误的心思和行为,照佛所教导的那样加以改正,由此而得不断进步。"这也是以脱出所谓"方便"为目标的。为此,就要求会员"努力于行、学二道的研修"。庭野说:"我们的一切生活,都必须以毫不动摇的'信'为根基。那么,这样的'信'因何而生呢? 不用说,是由于'解'的彻底。只有对真理真正理解,只有对教义真正心领神会,才会有不可动摇的'信'。在当今科学的时代,只讲'信',认为'只要信就可以得救',这已经不太适用了,所以本会开展教学是很有必要的。……这不只是在佛教信徒者或法华行者范围内适用的

---

① 《初心一生》第 15 页。

教学，教学内容应是人人都可以接受的真理，这是我们的信条。正是从这样的理解方法中，发生作为宗教者的使命的真正的自觉，由此，站在国际性的视野上的宗教活动也就有了立足之地。"① 从中可见，庭野所说的教学不单是停留在日莲教学和《法华经》的范围内，而是力图吸收明治以来的佛教研究成果，推进根本佛教教义在现代的活用。

庭野日敬对佛教努力进行现代的解释，去除其消极的方面，发掘其积极的因素。他解释所谓"业"时说："美好的行为，会留下美好的痕迹，并且到某个时候会表现为美好、快乐的现象。丑恶的行为，会留下丑恶的痕迹，同样会在某个时候再现为丑恶的、不快的现象，这就是'业'的原理。"因此，"我们应当坚持好的行为、好的语言、好的心思，就会获得好的结果，这就是'业'的思想。"他认为，"业的原理本来是科学的，业的思想是为促使面向未来的人不断努力进步而说的，但不知何时，与这样的意图相反，却变成了使人只追究过去的黑暗、悲观的思想。"现代人"应把它作为科学的、明快的理论来接受，并且完全为了美好的将来而活用这个原理。"② 在他看来佛教中"业"的原理可以与现实科学思想调和，可以变为完善人格和社会进步的一种动力。

他又解释佛教的"无常"观说："人们总以厌世感理解诸行无常，这是一种严重歪曲的理解……我们普通人尽心尽力于自己的职业，建立自己的生计的同时，也必是尽力于社会的发展进步，所以无论如何不能抱有那种向后看的厌世的思想和情绪。我们现代人，对这诸行无常的理法，应当以向前看的态度，给予明快的、积极的解释。就是说，所谓诸行无常，决不是只有衰灭的一路。太阳一出，草叶上的朝露瞬间即逝，但并不是归于无，而是变成蒸气升上

---

① 《续聚秀录》第156、157页。
② 《育人之心》第228、229页。

天空,水蒸气又变成雨降到地上,滋润田园,成为水力发电的能源。蒸发并不是死灭,只不过是改变形态,只不过是新生的准备过程。我们所生活的宇宙,总是无数的衰灭和创造反复进行着,这就是大和谐的生命世界、活的世界。""所有事物,一旦停止变化,那就意味着永远的死亡。有变化才有流动,有流动才有生命,有生命才会有创造。如果真的领悟了这个道理,不仅对身边的诸事的变化流动不感到吃惊,不感到不安,而且会把变化流动作为生命的象征而高兴地迎接它。"① 庭野吸取现代的科学知识和思想理论,以积极的发展变化观来解释佛教中的"无常"观,这应该说是佛教思想中的一种进步,对信众也能起到鼓舞和吸引作用。

在布教方式上,佼成会也与既成佛教教团有很大不同,既成教团以寺院、法座为中心布教,佼成会无特定的法座,可以随处设法座,所以可以有无数法座,十来个人聚在一起,有一位法座主,就可以围成圆圈促膝交谈,讨论问题,相互说法,相互切磋。而且法座是开放性的,非会员也可以参加。既成教团由专门的僧职传道,佼成会则不是由特定的人担任,信者人人都是布教使,都应该进行布教。庭野在解释布教活动的必要性时说:布教"决不只是为了获得会员。释迦说过:'不为他人说法,不得阿耨多罗三藐三菩提(无上觉悟)。'又说'为他人说法,疾得阿耨多罗三藐三菩提'。就是说,在为他人说法的同时,自己也得到觉悟。""在为他人说法时,自己也是在学习、受教育,通过与他人交流的实践活动,自己的人格才能得以不断净化。……学习过的东西经过向他人传教而得以整理、消化,才能成为自身的血肉。"② 这样的布教思想和布教方式,明显较既成教团更富时代性。在这方面,创价学会等新佛教教团也大体与佼成会相似。

---

① 《佛教的生命》第 321—323 页。
② 《庭野日敬随感集》第 222—223 页。

佼成会通过自身的改革,1960 年后又有较大的发展,现今的教势仅次于创价学会。佼成会还努力从事各种社会公益事业,积极参与社会活动,极力主张佛教诸宗派乃至世界范围内诸宗教之间的对话、协力,他们提出"为家庭、社会、国家、世界的和平环境建设而努力"的口号,在国内推进"创造光明社会的运动"(明社运动),在海外推进世界和平运动。

创价学会是牧口常三郎(1871－1944)和户田城圣(1900—1958)于 1930 年创立的在家佛教信者新教团,原名"创价教育学会",战后于 1946 年改名"创价学会"。创价学会的第一任会长即是牧口常三郎,他入信日莲正宗。日莲正宗是以镰仓时代日莲为开祖的日莲系诸宗中的一个宗派,日莲去世后,他的六位高徒日昭、日朗、日兴、日向、日顶、日持(所谓六老僧)分别弘传日莲教义,形成不同的流派,日兴的以富士的大石寺为本山的一派称日莲正宗。在日莲正宗看来,其他五位老僧没有能够发扬日莲的正法,可以说是异端弟子,只有日兴才是日莲法统的真正继承人,只有富士的大石寺才是日莲的正统本山。创价学会所信奉的就是日莲正宗。

在日本发动侵略战争期间,创价学会因对当时是国教的神社神道进行批判而遭到镇压,牧口常三郎、户田城圣等 21 名主要干部被捕下狱,牧口经一年半的牢狱生活,于 1944 年 10 月死于狱中。战争结束前夕,户田被保释出狱,战后创价学会恢复活动,户田任第二代会长。1958 年户田去世后,池田大作(1928—)担任总务之职,1960 年就任第三代会长。1979 年池田辞去会长职务,改任名誉会长,同时担任国际创价学会会长。北条浩接任第四代会长。1981 年北条病逝,秋谷荣之助出任第五代会长。创价学会在战后的最初几年,其教势远不及立正佼成会。1951 年创价学会自称有会员 27528 户,而此时佼成会为 88452 户。但创价学会 1952 年发展到 22324 户,53 年 7 万余户,54 年 164272 户,55 年 370490

户,56年50万户,58年突破百万户,60年达170万户。池田大作就任会长后,展开大规模的折伏运动,提出"扑灭佼成会"、"总攻天理教"的口号,发下五年内折伏300万户的悲愿,结果到1962年底,池田宣布提前两年实现了折伏300万户的目标。① 现今创价学会有会员1千多万人,海外会员也有1百多万人,不仅在日本佛教界,而且在整个日本宗教界,其信徒数也是远远超过其他宗教团体之上的。

创价学会的基本教义是日莲提出的"三大秘法",即本门的本尊、本门的题目、本门的戒坛,但只采日莲正宗对"三大秘法"的解释。另外,牧口、户田、池田的学说,也都是创价学会传教的重要内容,甚至是更重要的内容,因为历代会长总是结合社会现实宣教,与民众的心理欲求相投合,这是创价学会得意大发展的一个重要原因。例如,对于人生境遇的解释,创价学会认为,人生的幸与不幸都是由于宿业,人的生命是过去、现在、未来永远连续着的。这与佛教生死轮回的基本教理没有什么不同。但是,由过去宿业所造成的今世的不幸,在今世能不能改变? 如果能,应如何改变? 在这些方面,创价学会的领袖们则有独特的见解。户田城圣说:"人都希望有好的命运,病人希望恢复健康,贫困的人盼望富裕,这是理所当然的事情。可是在释迦的佛法里不谈今世,认为今世是没有办法了,只有等到来世。如果佛教的解决办法只是这样,我不会成为佛教信者。因为来世到底如何,我不知道。然而,大圣人日莲的佛教由此跨越了一步,……我虽有一生贫困的宿命,但如果信奉大圣人的话,受持大御本尊而唱题目("南无妙法莲华经"七字),那么,虽在过去世造成了贫困的宿业、原因,但这种宿业、原因可以转化为富裕的原因。……所以病弱者可以变健康,贫困者可以变富

① 见笠原一男、村上重良编《现代日本的宗教与政治》。

裕,这是理所当然的。"① 照创价学会的说法,人力所无可奈何的宿业,不幸的宿业,如果归依日莲正宗,就能够因此而转化,由不幸而转为幸福,而且这不是在死后的世界,而是在现世,就可以打开通向幸福之路。这种主张追求现世利益、现实幸福的立场、观点,是创价学会教说的真髓,与既成的佛教教团重来世的倾向有明显区别。

户田又认为,宿业的转化是有条件的,并不是只受持日莲正宗的本尊,而不做任何事情,不努力工作,就可以得到幸福。他说:"认为只要受持御本尊,而不必考虑做商业的方法,不必努力,也必能得到利益,这种简单的想法是大错而特错的,这是大谤法。因为真识法华者应懂得世法,就是说,受持御本尊者,应当懂得如何改善自己的生活环境,懂得如何发展自己的生意。如果不想明白这些,不肯钻研,不肯下苦功夫,那么,此人由于不懂生活上的世法而导致自己的不幸,反认为是御本尊无功德,这无疑是谤法。"② 这就是说,必须把信仰与自己在生活上、事业上的努力奋进结合起来,才能由不幸转为幸福。创价学会主张信者应各持其生业,努力发展自己的事业,这也与既成教团脱离生业、脱离生活的僧职人员不同。

当然,照创价学会的教说,宿业的转化还必须有宗教性的实践,那就是要一生坚持唱题目,以一个一个的题目,一点一点地消除不幸的宿业。可以说,一个一个的题目,就是通向幸福之门、通向即世成佛之境的一层层的阶梯,所以每个会员都应朝夕勤勉,唱诵七字题目,造成宿业转化的条件。这种唱诵题目的教义,对民众来说也是易于接受的。

---

① 户田 1955 年《在向岛支部新泻地区总会的讲演》,转引自中村等编《亚洲佛教史·日本编·现代佛教》第 160 页。

② 同上书,第 162-163 页。

创价学会的布教方式也有独特之处，他们经常强调的重点是两个：一是折伏。所谓折伏，就是通过大力宣传自己的宗旨，大力批判他宗的教义，使人转变思想，归信日莲正宗。1951 年出版的《折伏教典》，是创价学会会员必读的经典，其中明确规定，折伏是创价学会会员不可缺少的义务和使命，也是获得最大幸福的通路。1962 年之后，对他宗批判的基调缓和下来，开始尽量避免与外部的摩擦，但折伏仍是每个会员的使命。二是座谈会。池田大作曾经说："通观学会的历史，始终贯穿的重要活动是折伏和座谈会。……座谈会是学会的传统，是今日大发展的源泉。"座谈会以班或组为单位进行，十来个人聚在一起，不拘形式，交流体验，互相激励，以求各自的信心向上。池田要求："座谈会要尽可能多的人发言，要始终采取亲切的、说服的方式，让人知无不言，言无不尽，心情舒畅，忘掉倦怠。……通过座谈会这种极好的方法，把自己不知不觉地进大众之中，这是民主主义的缩影，这是学会生命力之所在。"① 创价学会的座谈会，成了发展会员的有效手段。

创价学会最引人注目的特点是，积极参与现实政治生活，这是新佛教宗派与现实结合的一个突出表现。日莲宗的创始人日莲本人，就对现实社会始终抱有强烈的关心，他志在根据《法华经》建立现实社会的秩序，强调依《法华经》统一佛教，再靠佛教的统一势力发挥社会救济的强大力量。他认为，为政者也要基于佛教的统一理念，从事政治，安定国家。创价学会继承了日莲的思想和主张，户田提出了"王佛冥合论"，主张王法与佛教统一，以建设理想的社会。池田又以"佛法民主主义"为旗帜，积极参与政治，他在 1962 年 6 月在创价学会本部发表的《关于参加参议院选举》中说："创价学会以大御本尊为根本而进出政界，这是时代的要求，是佛意、佛敕。"1962 年 1 月，为迎接当年 7 月的参议院选举，创价学会出身

---

① 1962 年 11 月《关于座谈会》。

的参议院议员和地方议会议员组成了"公明政治联盟",1964 年 1月改称"公明党",公明党以王佛冥和、佛法民主主义的基本理念,提出从根本上净化日本政界,确立民主政治的口号。照创价学会的说法,他们的方针是,通过其政党掌握政治权利,通过其政治权利为大众谋幸福,并以世界的永久和平为目标。1970 年创价学会与公明党实行政教分离,形式上公明党从创价学会中独立出来,但公明党的主要后援力量仍是创价学会。由此可见,积极参与现实政治,也是日本新佛教发展的一个重要途径。创价学会还以人道主义、和平主义、文化主义为指针,在向国外传教的同时,努力发展国际间的学术文化交流,为世界和平而尽力。这些都可以说明创价学会在当代社会得以大发展的原因。

中国近代佛学的振兴者——杨文会

楼宇烈

中国佛教发展到清代,其学理方面已极为衰微,高僧不多,而且与思想界关系极少。乾嘉时期,在一部分理学家中,如彭绍升①、罗有高②、汪缙③ 等人,对佛学有极浓的兴趣,大力予以提倡,

---

① 彭绍升(1740—1796),字允初,号尺木,又号知归子、二林居士等,法名际清,江苏长洲(今苏州)人。他与罗有高、汪缙都是"理学而通释典"者。张之洞在《书目答问》附录《国朝著述诸家姓名略》中称他们为"理学别派"。彭氏会通儒释,对程朱理学家的排佛理论提出评论,写成专著《一乘决疑论》,认为儒佛二家之旨"圆融无碍"。他自言,自读佛经后,始得为文之旨,其中受《华严》、《般若》、《四十二章经》等影响尤深。彭氏主要信奉净土法门,晚年于杭州武林门外,常和二三禅侣,静修念佛。他的著作极多,除《一乘决疑论》外,重要的还有:《无量寿经起信论》、《观无量寿佛经约论》、《阿弥陀佛经约论》、《华严经念佛三昧论》、《居士传》、《一行居集》、《二林居集》等。

② 罗有高(1733—1779),字台山,号尊闻居士,江西瑞金人。他认为东西二圣贤权实互用,其根本大愿是相同的,即"全从大慈悲海流出种智,切实为人点透衣珠。"(《与彭允初二》,《尊闻居士集》卷四)所以他"外服儒风,内宗梵行",融合儒释。(王昶:《罗君台山墓志铭》)他的著作,由彭绍升编集为《尊闻居士集》八卷。

③ 汪缙(1724—1792),字大绅,号爱庐居士,江苏吴县人。他主张打破程朱陆之间的隔阂,融通儒释。他的著作,由彭绍升编集为《文录》十卷、《诗录》四卷、《二录》二卷、《三录》三卷,总称之为《汪子遗书》。

110

其影响且延及龚自珍①、魏源②等。到了清末,佛学出现一个新的振兴局面,并且在近代中国思想界发生了广泛的影响,成为近代中国一股不可忽视的思潮。

佛学在近代所以得以重新振兴,原因是多方面的,如当传统儒家理学思想受到冲击后,人民想以佛学来填补思想上的空虚;如随着西方学术思想的传入,也受到了当时一些西方学者研究佛学兴趣的影响等等。而其中,与杨文会居士为倡导佛学而毕生辛勤工作也是分不开的。梁启超在《清代学术概论》中说:"晚清所谓新学家者,殆无一不与佛学有关系,而凡有真信仰者,率归依文会。"这是符合历史实际的分析。杨文会居士为振兴佛学,一生从事刻经事业,兴办佛学研究会和佛教学堂等。他整理刻印了许多基本的、珍贵的佛教典籍,培养了一大批佛学研究人材,在当时的文化界、学术界、思想界有相当广泛的影响。

一

杨文会(1837—1911),字仁山,安徽石埭(今石台)人,出生于仕宦之家,但他却从小就不喜欢举子业,而好读奇书,任侠行义。

---

① 龚自珍(1792—1841),字璱人,号定庵,浙江仁和(今杭州)人。他是十九世纪上半期著名的诗人、政论家和进步思想家。他在佛学上受到彭绍升一定的影响,他在《知归子赞》中称颂彭绍升说:"震旦之学于佛者,未有全于我知归子者也。"(《龚自珍全集》)

② 魏源(1794—1857),字墨生,湖南邵阳人。十九世纪上半期与龚自珍齐名的著名学者和先进思想家。在佛学上,他推尊净土法门,曾汇刻《净土四经》等。杨文会在《重刊净土四经跋》中说:"魏公经世之学,人所共知,而不知其本源心地,净业圆成,乃由体以起用也。"(《杂录》卷三)

当他十七岁时(1853),太平天国起义军进攻安徽,他随家人辗转于安徽、江西、浙江、江苏各地,前后达十年。1864 年,他二十八岁时,回乡料理其父葬事,不幸感染时疫,生了一场大病。在养病期间,他反复研读《大乘起信论》一书,对其中所讲的道理有了领会,于是开始寻求佛经研读。不久,他又研读了《楞严经》,对佛学发生了更加浓厚的兴趣。从此,他"一心学佛,悉废弃其向所为学。"(《杨仁山居士事略》)1866 年,杨文会因参加江宁工程工作而移居南京。在那里,他结识了一批学佛同好,如王梅叔、魏刚己、曹镜初等,经常在一起切磋佛学。他们共同感到,佛教典籍的散佚,经版的毁坏,对于传播佛法大有影响。因此,他们发愿要刻印方册本藏经,以便广为流传。于是杨文会亲自拟订刻经章程,集合同志者十余人,分别劝募刻经,并创立起了金陵刻经处。同时赞助和响应杨氏刻经事业最有力者有郑学川(后出家,法名妙空),在扬州创立扬州藏经院(江北刻经处);又有曹镜初,在长沙创立长沙刻经处等。这几处刻经处,以金陵刻经处为中心,根据统一的刻经版式和校点编辑体例,互相分工合作。

　　杨文会生前主持金陵刻经处刻经事业将近五十年。他原计划要校刻大藏经一部,为初学者选辑大藏辑要一部[①],以及选编藏外重要佚书若干种,等等。但是由于种种困难[②],他的这一宏愿最终没有能全部完成。但就已刻印出来的三千余卷,几百种著作来看,

---

　　① 杨氏《大藏辑要叙例》说:"此书专为初学而辑,分部别类,以便检阅。凡羽翼经律论者,概从本文为主。"下列部类有:华严部、方等部、净土部、法相部、般若部、法华部、涅槃部、小乘经、密部、大乘律、小乘律、大乘论、小乘论、西土撰集(杂藏)、禅宗、天台宗、传记、纂集、弘护、旁通、导俗等。

　　② 在众多困难中,经济上的困难是主要的。杨文会为了维持金陵刻经处,曾将其两次赴欧洲考察带回的各种仪器,全部卖给了湖南时务学校。1897 年谭嗣同致汪康年信中曾说到:"杨仁翁先生问从前经价,……湖南买仪器价,请转向蒋少穆兄一问,速即寄来。仁翁光景,万难万难,又遭母丧,我辈能为收齐账目,是即助之也。"(《谭嗣同全集(增订本)》下册)

其功绩也是十分巨大的。举其要者言之,他对华严宗著述,特别是对贤首法藏著作的搜集、整理、校订、编辑,为研究华严宗思想提供了基本而系统的资料①。在法相宗著述的校刻方面,他刻印了佚失已久的窥基《成唯识论述记》等多种重要著作②,在当时引起了学术界的浓厚兴趣,促进了近代唯识法相学研究的振兴。杨文会由读《大乘起信论》而信佛,对此书推崇倍至,认为:"马鸣大士撰《起信论》贯通宗教,为学佛初阶。不明斯义,则经中奥窔无由通达。"(《起信论真妄生灭法相图跋》,《等不等观杂录》卷三,以下简称《杂录》)因此,他汇刻了《大乘起信论疏解汇集》③。杨氏一生"教宗贤首,行在弥陀",所以对净土宗著述的刻印也十分重视,曾先后汇刻《净土经论十四种》、《古逸净土十书》④,以及重刊魏源辑《净土四经》等。杨氏主持所刻经论典籍,大都做了比较精审的选择、校勘和句读等,尤其是其中包括了许多宋元以后国内佚失了的重要著作。因此,金陵刻经处(包括江北刻经处、长沙刻经处等)所刻印的方册本佛藏,是我国近代一部重要的佛藏版本,具有较高的学术价值。并且由于它便于流通,影响广泛,在近代佛学的振兴中

---

① 关于华严宗著述,杨文会除校刻了晋译《华严经》、智俨的《华严经孔目章》、澄观的《华严经疏钞》、《华严经悬谈》、李通玄《华严经合论》等外,还编集有《华严著述集要》(包括法藏许多重要著述等共二十九种),以及计划编集一部《贤首法集》(包括法藏著作二十二种),作为"世之学华严者"的"圭臬"。(《贤首法集叙》,《杂录》卷三)

② 杨文会在刊印《成唯识论述记》叙中说,此书"追元季而失传,五百年来无人得见,好学之士每以为憾。"按,此书明清大藏中均已失载,故时人以为国内予无其书。1933 年发现赵城广胜寺金藏,其中有《成唯识论述记》(存七卷),以及窥基其他著作多种,后均影印入《宋藏遗珍》中。

③ 其中包括:梁译《起信论》、唐译《起信论》、《释摩诃衍论》、唐法藏《起信论义记》、《别记》、新罗元晓《大乘起信论疏记会本》(即《海东疏》)、明真界《大乘起信论纂记》、明德清《大乘起信论直解》、明智旭《大乘起信论裂网疏》等八种。

④ 其中包括:隋慧远《无量寿经义疏》、唐善导《观无量寿佛经疏》、宋元照《阿弥陀经义疏》、唐靖迈《称赞净土佛摄受经疏》、元魏崇峦《往生论注》、唐道绰《安乐集》、唐窥基《西方要决》、新罗元晓《游心安乐道》、唐迦才《净土论》、唐怀感《净土群疑论》等。

发挥了重要的作用。

杨文会在培养佛学人材方面也花费了极大的心血。他先以金陵刻经处为基地,建立居士道场,与四方求学者探讨佛学。他的一些著名弟子,如黎端甫、桂伯华、谭嗣同等,都是这样跟杨文会学佛学的。杨氏对当时国内"释氏之徒,不学无术,安于固陋"的状况很不满意,认为要振兴佛教,必须"自开学堂始。"(《般若波罗蜜多会演说四》,《杂录》卷一)为此,他曾亲自订立了一个"释氏学堂内班课程"计划①,主张"仿照小学、中学、大学之例,能令天下僧尼人人讲求如来教法。"按照课程规定,学完三年受沙弥戒,再学三年受比丘戒,再学三年受菩萨戒。然后"方能作方丈,开堂说法,升座讲经,始得称大和尚。"(《释氏学堂内班课程刍议》,《杂录》卷一)

1895 年,杨氏收到锡兰(今斯里兰卡)达摩波罗的信,其中说到要创立大菩提会去印度复兴佛法,希望中国也能派出僧侣学者前往②。杨氏对此十分赞同。自此,他即着意于创办佛教学校的工作,以培养人材为急务。他亲自动手编写了《佛教初学课本》,并致信日本学僧南条文雄,索取日本"佛教各宗大小学校种种章程,以备参考。"(《与日本南条文雄书二十七》,《杂录》卷八)但是,几经周折,直至 1908 年秋,他的愿望才得实现,在金陵刻经处办起了

---

① 杨氏在《支那佛教振兴策一》中曾提出开设释氏学堂,"分教内教外二班"。"外班以普通学为主,兼学佛书半时,讲论教义半时";"内班以学佛为主,兼习普通学,如印度古时学五明之例"。(《杂录》卷一)

② 杨氏在《与日本南条文雄书十三》中提及此事说:"锡兰人达摩波罗,欲兴隆佛教而至上海,云在贵国耽住多日,想已深谈教中旨趣,其意欲请东方人至印度宣传佛教,未知贵国有愿去者否?以鄙意揆之,非阁下不能当此任也。"(《杂录》卷七)又,1908 年苏曼殊致刘季平信中也言及他受杨仁山之邀赴南京执教事,并说到:"十余年前,印度有法护尊者(达摩波罗),寄二书仁老,盖始创摩诃菩提会,弘扬末法,思召震旦僧侣共往者。昨日仁老检出,已属瑛翻成华文矣。……仁老云:当时以无僧侣能赴其请,伤哉!"(柳亚子、柳无忌编《曼殊全集》)

"祇桓精舍"。①为了能适应将来去印度振兴佛教之用,他规定学者除佛学外,须兼通中西文。杨氏自任佛学讲习,聘李晓敦教授汉文,苏曼殊教授英文和梵文。②当时,来入学的僧俗学生约有二十人,释太虚③ 就是这时的学僧之一。可惜由于经费缺乏,"祇桓精舍"仅办了两年就不得不停办了。1910 年,杨氏发起组织了佛学研究会,自任主讲,每月开会一次,每七日讲经一次。欧阳渐即于此时正式依侍杨文会。欧阳渐在杨氏逝世后受托主持金陵刻经处事务,以后他又创办了著名的"支那内学院",也为近代中国培养了一大批著名的佛学研究人材。④ 先后出于杨氏门下的著名佛教学者,除前面已提及者外,尚有梅撷芸、蒯若木、李证刚、孙少侯、邱晞明等。由此可见,近代僧俗佛教人材之辈出,是与杨文会的辛勤育材是分不开的。同时,还有一大批近代著名的政治活动家、思想家、学者,如梁启超、章太炎、沈曾植、陈三立、夏曾佑、宋恕、汪康年等,也都在不同程度上受到杨氏佛学的影响。

---

① 关于"祇桓精舍"的创立,杨氏在《与释式海书》中说:"今春,同志诸君闻知印度佛法有振兴之机,彼土人士欲得中华名德为之提倡,但两地语言文字难以交通。明道者年既长大,学语维艰;年少者经义未通,徒往无益。遂议建立祇桓精舍,为造就人材之基。用三门教授:一者佛法,二者汉文,三者英文。俟英语纯熟,方能赴印度学梵文,再以佛法传入彼土。"(《杂录》卷五)

② 苏曼殊 1908 年《与刘三书》中说:"得杨仁山长老命,故于十三日晚抵宁。……此处校务,均已妥备。现向镇江、扬州诸大刹召选僧侣,想下月初可开课。教授汉文,闻是李晓敦先生,讲经即仁老也。看二三年后,僧众如能精进,则遣赴日本、印度,留学梵章,佛日重辉,或赖此耳。"(柳亚子、柳无忌编《曼殊全集》)

③ 太虚(1889—1947),民国时期著名僧人,鼓吹佛教改革和佛化运动。他创办的佛教刊物《海潮音》历史悠久,影响广泛。他的著作宏富。自 1928 年起,他先后创办了武昌佛学院、闽南佛学院、汉藏教理院等,培养了许多著名的学僧,如印顺、法尊、巨赞、大醒、尘空等,在国内外都有较大的影响。

④ 欧阳渐(1871—1943),字竟无。他在杨文会逝世后,与陈镜清、陈义等同受委托主持金陵刻经处事务。1922 年他创办了支那内学院,培养了一批佛学研究者。著名的学者有:汤用彤、吕澂、刘定权、王恩洋、黄忏华等。同时,支那内学院也校刻了许多佛典,其中所编《藏要》三辑,计收重要经律论七十余种,是目前校勘最精的版本之一。

　　杨文会既是中国近代佛学的振兴者,同时也是近代中日佛教文化交流的开拓者。1878 年(光绪四年)杨氏随曾纪泽出使欧洲,考察英法等国的政治、文化、工商业等。在此期间,他结识了当时正在伦敦牛津大学留学的日本净土真宗的学僧南条文雄氏[①]。此后,三十余年间,两人书信往来不绝,切磋学问。杨氏在南条文雄的帮助下,从日本、朝鲜等处访得中国宋元以后佚失的重要经论注疏和撰述约三百种[②],陆续选刻出来,广为流通。其中包括了华严宗法藏、法相宗窥基、净土宗善导等人的许多重要撰述。同时,当日本京都藏经书院计划刻印《续藏经》时,杨氏亦大力予以赞助。他不仅对《续藏经》初拟目录提出增删意见,并且多方为之搜集善本秘籍,以供采用。他在《日本续藏经叙》中盛赞此举,认为"是辑也,得六朝唐宋之遗书,为紫柏所未见,诚世间之奇构,实足补隋唐所不足也。"又

---

　　① 　南条文雄(なんじょうぶんゆう1849—1927),日本近代著名佛教学者。主要著作有《大明三藏圣教目录》、《校订梵文法华经》等。先是杨氏在上海交日本学僧松本白华,得知南条文雄、笠原研寿等在伦敦,后于伦敦末松谦澄处进一步得知南条文雄等在牛津大学学梵文,于是修书致意。不久,杨氏于末松寓所与南条会晤,连夜畅叙,结下了深厚的友谊。

　　按,中国佛教协会编《中国佛教(二)》第 313 页说,杨氏于"光绪十二年(1886)又再去伦敦,认识了日本留学僧人南条文雄。"此说有误。南条氏于 1876 年赴英留学,在英共逗留九年,于 1885 年返国。杨氏第二次赴欧时,南条已不在伦敦。杨氏于二次赴欧前,曾给南条氏一信说:"后接松江君寄到尊函二件,……展阅之余,欣慰弥深,方知大驾回国,……弟现承刘星使之召,又当从事英伦"云云,可为证。(《与日本南条文雄书五》,《杂录》卷七)

　　② 　杨氏在《汇刻古逸净土十书缘起》中说:"顷年四海交通,遂得遨游泰西,遇日本南条上人于英伦。上人名文雄,净土宗杰士也。既各归国,适内戚苏君少坡随使节赴日本,属就南条物色释典,凡中华古德逸书辄购之,计三百余种。"(《杂录》卷三)南条文雄在《大日本续藏经序》中说:"明治二十四年(1891)以后,余与道友相议,所赠居士(杨文会)和汉内典凡二百八十三部。"又,杨氏在《与日本南条文雄书十九》中则说:"比年来,承代购经籍千有余册,上自梁隋,以至唐宋,并贵国著述,罗列满架,诚千载一时也。非阁下及东海君大力经营,何能裒集法宝如此之宏广耶。"(《杂录》卷八)

说："予亦为之搜辑,乐观其成。"① 对此,日本《续藏经》编辑主任中野达慧在《大日本续藏经编纂印行缘起》中说："先是介南条博士,请金陵仁山杨君搜访秘籍,未几又得与浙宁芦山寺式定禅师缔法门之交,雁鱼往来,不知几十回,二公皆嘉此举。或亲自检出,或派人旁搜,以集目录未收之书而见寄送者,前后数十次,幸而多获明清两朝之佛典。予每接一书,欢喜顶受,如获赵璧,礼拜薰诵,不忍释手。"南条文雄在《序》中也说："居士颇随喜此举,集藏外及未刊之书,邮政以充其材者,或可以十数也。""藏经书院每月未曾误其发行之期,是居士之所以随喜供给其材料也。"金陵刻经处的刻经事业和日本藏经书院《续藏经》的编纂,分别是中日两国近代佛教史上的大事,而在这两件佛教文化史上的大事中,中日两国的学者们进行了真诚的合作和交流,这是值得我们永远怀念和发扬的。

在学术思想上,杨文会认为儒释道三家是可以通融无碍的。他说："近年闭户穷经,于释迦如来一代时教,稍知原委,始信孔颜心法不隔丝毫,柱下漆园同是大权示现。"(《与释惟静书一》,《杂录》卷五)又说："若能进而求之,将如来一代时教究彻根源,则知黄老孔颜心法原无二致,不被后儒浅见所囿也。"(《与沈雪峰书》,《杂录》卷五)但是,他总以佛理为最高者,所以说："若论三教,儒道之高者,始能与佛理相通。"(《代陈栖莲答黄掇焦书二》,《杂录》卷六)杨氏声称,他平时"以释氏之学治心,以老氏之道处世,与人交接,退让为先。"(《与陈南陔书》,《杂录》卷五)对于道家,杨氏是比较推崇的,因而分别作了《阴符经》、《道德经》、《冲虚经》、《南华经》四部书的《发隐》。他认为,这些道家著作"实与佛经相表里"(《冲虚经发隐序》),"文似各别,而义实相贯也。"(《阴符经发隐序》)对于宋释延寿在《宗镜录》中判老庄为通明禅,明释憨山德清判老庄为大乘止观,杨氏认为是尚未深得道家之理者。照他的看法,道家之

---

① 杨氏此《叙》存于《等不等观杂录》卷三,未收入《大日本续藏经》中。

书,"或论处世,或论出世。出世之言,或浅或深。浅者不出天乘,深者直达佛界。以是知老列庄三子皆从萨婆若海逆流而出,和光混俗,说五乘法(原注:人乘、天乘、声闻乘、菩萨乘、佛乘),能令众生随根获益。后之解者,局于一途,终不能尽三大士之蕴奥也。"(《南华经发隐序》)这可说是直以道家老列庄与佛理相等同了。

当然,这是就融通方面来说的。如就差别方面来说,杨氏认为道家求长生,故而"首重命功",佛家则"直须命根断。命根断,则当下无生,岂有死耶!"也就是说,佛法是要超脱生死,而道家求为成仙,只不过高于人界一等,总不出上帝所统之界。而且即使寿至千万岁,也终有尽时。所以杨氏说,他学佛以来近四十年,"始则释道兼学",然后才"舍道而专学佛。如是有年,始知佛法之深妙,统摄诸教而无遗也。"(《与郑陶斋书》,《杂录》卷六)

对于儒家,杨氏仅肯定孔颜心法可与佛法融通。他对《论语》中:"子曰:吾有知乎哉?无知也。有鄙夫问于我,空空如也。我叩其两端而竭也(《子罕》)一章十分推崇,认为此章能见孔子全体大用者。他以佛理解释说:"夫无知者,般若真空也。情与无情,莫不以此为体。虽遇劣机,一以本分接之。盖鄙夫所执,不出两端,所谓有无、一异、俱不俱、常无常等法。孔子叩其两端而竭其妄知,则鄙夫当体空空,与孔子之无知,何以异哉!"(《论语发隐》)又说:"真知即是无知而无不知,达磨答梁武帝云:不识。即显示真现量也。孔子曰:吾有知乎哉?无知也。开迹显本之旨也。到此境界,儒释同源,诤论都息矣。"(《答释德高质疑十八问》,《杂录》卷四)同时,他对"克己复礼"一句也完全作了佛学的解释。[①]对孟子,杨氏则颇

---

① 《论语发隐》:"己者,七识我执也。礼者,平等性智也。仁者,性净本觉也。转七识为平等性智,则天下无不平等,而归于性净本觉矣。盖仁之体,一切众生本自具足,祗因七识染污意,起俱生分别我执,于无障暗中妄见种种障暗,若破我执,自复平等之礼,便见天下人无不同仁。此所以由己而不由人也。"

多微词。他认为,"孟子未入孔圣堂奥,书中历历可指,宋儒以四子书并行,俗士遂不能辨。"(《与黎端甫书》,《杂录》卷六)又说:"孟子我执未破,离孔颜尚隔两重关。"(《评方植之向果微言》,《杂录》卷四)因此他说:"若将孟子评论一番,更为世所诟厉,故只与人谈论,而未曾形诸楮墨耳。"(《与桂柏华书一》,《杂录》卷六)但是后来他还是写了《孟子发隐》一文,其中对孟子的性善论批评甚多。如说:"孟子全书宗旨曰仁义、曰性善,立意甚佳,但见道未彻。"孟子"以赤子之心为至善,殊不知赤子正在无明窟宅之中",而孟子"直以此为纯全之德,故所谈性善,盖不能透彻本原也。"(《孟子发隐》)

至于对宋明理学,杨氏更是多有批评。他认为:"宋儒性理之学,自成一派,不与孔子一贯之旨相同。"因此,宋儒性理之学与佛理更无相通之处。他说,宋儒"所谓穷理者,正是执取计名二相也","周张程朱心学分际,仅在明了意识上用功,初关尚未破。"(《评方植之向果微言》,《杂录》卷四)他对于引宋明理学以附会佛学,或引佛学以附会宋明理学的做法都不满意。如他说:"将佛家实效尽行抹煞,单取性理之言与儒家拉杂凑泊,非赞佛也,实毁佛也。若佛法仅与宋儒相等,则过量英豪谁肯舍身命以求之?"(同上)又如,他在《书〈居士传〉汪大绅评语后》一文中批评说:"《居士传》内汪大绅评语直截痛快,实具宗匠手眼。但其中每引程朱为契合,似觉不类。度其意,无非欲引理学家究明心宗耳。然理学家既宗程朱,决不信有此事。是汪君援引之意,不能令儒者生信,反令儒者易视禅宗,以为不出程朱心学矣。……予愿他日重刻此传,将评语内与儒家牵合者节去,未始非护法之一端也。"(《杂录》卷三)

总之,杨文会对儒家兴趣不大,这与他从小就不喜欢举子业,不求功名可能有一定的关系,也与这一时期批判宋明理学的社会思潮有关。而他所以对孔颜心法尚有所肯定和赞扬,则显然是由于受到了《庄子》书中所描述的孔颜形象和心法的影响,实际上是道家化了的儒家孔颜。①

二

在佛教理论和实践上，杨文会一生"教宗贤首，行在弥陀"，但同时对唯识、天台和禅宗等各宗派也悉心研究，相互融通。他曾自述闻法经历说："大乘之机，启自马鸣，净土之缘，因于莲池（明袾宏）；学华严则遵循方山（唐李通玄）②；参祖印则景仰高峰（元原妙）。他如明之憨山（德清），亦素所钦佩者也。"（《与日本南条文雄书二》，《杂录》卷七）又，他在《与某君书》中也说到："鄙人初学佛法，私淑莲池、憨山，推而上之，宗贤首（唐法藏）、清凉（唐澄观），再溯其源，则宗马鸣、龙树。此二菩萨，释迦遗教中之大导师也。西天东土，教律禅净，莫不宗之。遵其轨则，教授学徒，决不误人。"（《杂录》卷六）

杨氏由《大乘起信论》而启信佛之机，因此对此论及马鸣十分推崇。③ 他认为，《大乘起信论》是学佛的入门书，是融通教宗、贯彻群经的大乘佛教的根本典籍。而在《起信论》的各种讲疏中，他又最推崇贤首法藏的《大乘起信论义记》、《别记》。因此，他多次强调说："《大乘起信论》一卷，为学佛之纲宗。先将正文读诵纯熟，再

---

① 如《庄子·人间世》篇中记述孔子和颜回讨论"心斋"，《大宗师》篇中记述孔子和颜回讨论"坐忘"等。

② 杨氏开始由李通玄《华严经合论》等而崇信华严教义，以后读澄观（清凉）著述，十分钦佩，最后看到法藏（贤首）的各种论疏，才知华严教旨奠基于法藏，于是专崇贤首。

③ 关于《大乘起信论》的真伪问题，中日两国学者中有很大的争议，杨文会则丝毫不怀疑其为马鸣所作。

将《义记》、《别记》悉心研究,于出世之道,思过半矣。"(《与陈大镫、陈心来书》,《杂录》卷六)"此论总括群经要义,法藏作记,曲尽其妙,学者熟读深思,自能通达三藏教诲。"(《佛学书目表》,《杂录》卷二)又说:"内典繁多,从何入手,用功省而收效速也?曰:有马鸣菩萨所作《起信论》,文仅一卷,字仅万言,精微奥妙,贯彻群经。"(《三身义》,《杂录》卷一)"《起信论》虽专诠性宗,然亦兼唯识法相。盖相非性不融,性非相不显。"(《起信论疏法数别录跋》,《杂录》卷三)"马鸣大士撰《起信论》,贯通宗教,为学佛初阶。不明斯义,则经中奥窔无由通达。"(《起信论真妄生灭法相图跋》,《杂录》卷三)总之,"马鸣大士宗百部大乘经,造《起信论》,以一心二门总括佛教大纲。学者能以此论为宗,教律禅净莫不贯通,转小成大,破邪显正,允为如来真子矣。"(《佛教初学课本注》)①

唐贤首法藏借《大乘起信论》以发挥《华严经》的思想,建立起了具有中国特色的华严宗教理。②杨文会企图继承和发扬贤首这

————————

① 杨氏推崇《大乘起信论》的论述还有许多,如说:"大藏教典,卷帙浩繁,求其简要精深者,莫如《起信论》。而解释此论者,自隋唐以来,无虑数十家。虽各有所长,然比之贤首,则瞠乎其后矣。"(《会刊古本起信论义记缘起》,《杂录》卷三)"《起信论》者,马鸣菩萨之所作也。马鸣为禅宗十二祖。此论宗教圆融,为学佛之要典。"(《答释德高质疑十八问》,《杂录》卷四)"若欲通佛教,《起信论》为最,既通《起信论》,然后读《楞严》,此一经一论,简要便初学。"(《答廖迪心偈》,《杂录》卷四)"请将《大乘起信论》读诵通利,自能透彻真实佛法,不至摩空捉影,虚费时光也。"(《与冯华甫书》,《杂录》卷五)"鄙人常以《大乘起信论》为师,仅万余言,遍能贯通三藏圣教。"(《与郑陶斋书》,《杂录》卷六)"更以《大乘起信论》为入道之门,通达此论,则《楞严》、《楞伽》、《华严》、《法华》等经,自易明了。"(《与李澹缘书一》,《杂录》卷六)"《楞严》、《维摩》二经,初学难得头绪,文约义丰者,无过于《大乘起信论》,熟读深思,必能贯通佛教原委。……此论一通,则一切经皆有门径矣。"(《与吕勉夫书》,《杂录》卷六)"欲明佛法深义,须研究《起信论》。"(《与黎端甫书》,《杂录》卷六)等等。

② 如杨氏在《佛教初学课本注》中说:"学佛者,首在信,信而解,解而行,由解行,至于证。"自注:"解行双圆,可臻实证。""信解行证四门次第出《起信论》,贤首宗之释《华严经》,此古今不易之法也。"

一传统,且欲由贤首上溯至马鸣。他声称,"凡习此论(《起信论》)者,皆马鸣大士之徒"(《与郑陶斋书》,《杂录》卷六),并设想"以《大乘起信论》为本",再依据于相传为马鸣所著的另一大乘论——《大宗地玄文本论》,来"建立马鸣宗"(《与李小芸书一》,《杂录》卷五)。为此,他特地精心为《大宗地玄文本论》作了《略注》。他认为,"百部论中,此为宗本"(《略注》卷四第三十九分注),"此论为佛法宗本,穷微极奥,故称玄文。……欲知玄妙法门,请观此论。"(同上第四十分注)他着重揭出此论中的"金刚五位"①说加以表扬,认为此"五位判教,总括释迦如来大法。无欠无余,诚救弊补偏之要道也。"(《与李小芸书一》,《杂录》卷五)具体地说,此论所建立的"金刚五位","为佛法之总纲,摄尽一切破障法门,该括一切称性法门,纤毫无遗。若明此义,则谈宗谈教,说有说空,皆不相妨,何有分河饮水,互相是非之弊哉!"(《略注》序说)在列举此论目录后,杨氏又一次加按语指出:"此论穷微极妙,专接利根上智,兼为凡小权渐之机作一乘胜因。伏愿见者闻者,熏习成种,久久纯熟,心光发宣,即能顿入金刚信位,圆修圆证,五位齐彰,与论主大愿,注者诚心,交光相罗,如宝丝网,辗转开导,无有既极。"

　　从以上杨氏的议论中,我们可以看到,杨氏表彰《大乘起信论》和《大宗地玄文本论》的中心之一是认为,马鸣所造的这两部大乘论,能贯通大乘空有二宗、性相二家、教宗两派。也就是说,杨氏强调大乘各派在根本宗旨上是一致的,各种入佛法门是互不相妨的,不应当发生"分河饮水,互相是非"的宗派门户之争。②正是在这种宗

───────────

　　① 详见杨氏《大宗地玄文本论略注序说》。其说:"《大宗地玄文本论》建立金刚五位:以众生无量劫来业果相续,非三僧祇修证之功,不能尽除,故立无超次第渐转位;以众生一念相应即同诸佛,故立无余究竟总持位;以众生心含法界,普融无尽,故立周遍圆满广大位;以众生念念著有,违解脱门,故立一切诸法俱非位;以众生弃有著空,趋于断灭,故立一切诸法俱是位。"

　　② 杨氏在《成唯识论述记叙》中说:"性相二宗,有以异乎?无以异也。性宗直下

旨下,杨氏对其门下弟子不强求以一家一说,而是就其性之所近而引导之。因而其弟子中既有精于华严者,也有专研三论、密宗者,而尤以发明唯识法相学者为最众,真可谓是百花齐放,各宗并茂。

杨文会在《学佛浅说》中认为,学佛者随人根器而各有不同。如"利根上智之士,直下断知解,彻见本源性地,体用全彰,不涉修证,生死涅槃,平等一如。"但是,这种利根上智之士,"近世罕见矣!"其次者,则当"从解路入",即"先读《大乘起信论》,研究明了,再阅《楞严》、《圆觉》、《楞伽》、《维摩》等经,渐及《金刚》、《法华》、《华严》、《涅槃》诸部,以至《瑜伽》、《智度》等论。然后以解起行,行起解绝,证入一真法界。"但他认为,这一类根器的人,最后"仍须回向净土,面觐弥陀,方能永断生死,成无上道。"又其次者,则须"用普度法门,专信阿弥陀佛接引神力,发愿往生。"并根据自己的能力,"或读净土经论,或阅浅近书籍,否则单持弥陀名号,一心专念,亦得往生净土。虽见佛证道有迟速不同,其超脱生死,永免轮回,一也。"(《杂录》卷一)这是说,除"利根上智之士"外,净土法门是最根本的途径。杨氏认为,释尊灭度二千年后的今天,"利根渐渐稀",以今昔人物之根器相比,其"高下大悬殊"。当今之世,参禅者虽众,终因"根发不相宜,得道甚为难。"(《答廖迪心偈》,《杂录》卷四)①因此,他认为,"修习法门,以称机为贵"(《与陈仲培书》,《杂

明空,空至极处,真性自显;相宗先破我法,后彰圆实,以无所得为究竟。乃如执有执空,互相乖角者,皆门外汉也。"(《杂录》卷三)又,在《佛教初学课本注》中说:"禅与教,无两样",自注:"并说三界唯心,万法唯识,以融宗教。"

① 杨氏在《与释幻人书二》中说:"禅宗一门,直指人心,见性成佛。虽云教外别传,实是般若法门,观五祖六祖之语,则可见矣。所以禅宗祗须直下见性,不论成佛不成佛。……盖禅人见性,大有浅深,晚唐以后,利根渐少,虽云见性,如暗室中钻凿小孔,得一隙之明,若比之太虚空旷,日月星辰旋转其中,风云雷雨变化其际,不可同日而语矣。"(《杂录》卷五)又,《与王雷夏书》中说:"且《坛经》所接之机,惟在上根利智,数十年来未见其人。学者但贪其一超直入,求之终身而不免于轮回,反不如专修净土之为得也。"(《杂录》卷六)又,《代陈栖莲答黄掇焦书一》中说:"若禅宗在唐时出现诸大宗师,皆是菩萨应身,非浅机所能企及。近代自命大彻大悟为人天师者,命终之后,难免隔阴之迷,随业流转,较之往生净土,直登不退席,相去奚啻霄壤哉!"(《杂录》卷六)

录》卷五），"中下之机，唯应依教勤修，不可妄希顿悟。法不投机，徒劳无益。"（《佛教初学课本注》）惟有念佛往生净土法门，则普摄三根，为"末法修行"中"速成不退，直趣佛果"的"普度法门"（《般若波罗蜜多会演说三》，《杂录》卷一）由此，杨文会大力宣扬净土法门，一生皈依净土法门。

杨文会指出，"《华严经》末，普贤以十大愿王导归极乐，……厥后马鸣大士造《起信论》，亦以极乐为归。①龙树菩萨作《十住》、《智度》等论，指归净土者，不一而足。"（《十宗略说》）所以说，"以一切佛法入念佛一门，即《华严经》融摄无碍之旨也。"（《与陈仲培书》，《杂录》卷五）又说："佛学之高，莫如禅宗；佛学之广，莫如净土。禅宗拣根器，净土则普摄。今时尚禅宗者轻视净土，岂知马鸣、龙树现身说法，早已双轮齐运矣。"（《佛教初学课本注》）总之，"净土一门，括尽一切法门，一切法门，皆趋净土一门。此是纯杂无碍，利根上智所行之道也。"（《与李澹缘书一》，《杂录》卷六）但是，一般学佛之人"往往轻净土而崇性理"，就是杨氏本人，在"初学佛时亦有此

---

① 唐般若译《华严经》（俗称四十《华严》）的最后一卷（又以《普贤行愿品》为题单行），载普贤菩萨告善财童子曰："善男子，……若欲成就此功德门，应修十种广大行愿。何等为十？一者，礼敬诸佛；二者，称赞如来；三者，广修供养；四者，忏悔业障；五者，随喜功德；六者，请转法轮；七者，请佛住世；八者，常随佛学；九者，恒顺众生；十者，普皆回向。"又说："是人临命终时，最后刹那，一切诸根悉皆散坏，一切亲属悉皆舍离，一切威势悉皆退失，……唯此愿王不相舍离，于一切时，引导其前，一刹那中，即得往生极乐世界。到已，即见阿弥陀佛、文殊师利菩萨、普贤菩萨、观自在菩萨、弥勒菩萨等。""善男子，彼诸众生，若闻若信此大愿王，受持读诵，广为人说，……是诸人等，于一念中，所有行愿，皆得成就，……皆得往生阿弥陀佛极乐世界。"（《华严经》第四十卷）《大乘起信论》第四分末曰："复次，众生初学是法，欲求正信，其心怯弱，……惧谓信心难可成就，意欲退者，当知如来有胜方便，摄护信心。谓以专意念佛因缘，随愿得生他方佛土，常见于佛，永离恶道。如修多罗说，若人专念西方极乐世界阿弥陀佛，所修善根回向愿求生彼世界，即得往生，常见佛故，终无有退。若观彼佛真如法身，常勤修习，毕竟得生住正定故。"（梁译本）

见"，只是在"阅《弥陀疏钞》后，始知净土深妙，从前偏见消灭无余。"①这是说，人们所以轻净土，主要是由于对净土深妙理论了解不够，对佛教圆融之旨理解不透所造成的。如他说："若夫利根之士，高谈性理，轻视莲邦，是皆未达空有圆融之旨，弃大海而认涓滴者也。"(《西方极乐世界亿正庄严圆图跋》，《杂录》卷三)因此，杨氏对净土法门进行了深入的研究，并提出了许多独到的见解。②

杨氏净土法门的理论，综合经论，融会教宗，提倡自性弥陀与西方弥陀、唯心净土与佛土净境不二之旨，宣扬截断前后际，以当前一念，现前一句为往生之正因。而于具体实践法中，则突出地强调了以观想、持名兼修为上，以必读经论为津梁，以自他二力并重为不易之定论。

杨文会在《十宗略说》中，对于将自性弥陀与西方弥陀对立起来，互相排斥的观点，进行了评论。他说："后人喜提唯心净土、自性弥陀之说，拨置西方弥陀，以为心外取法，欲玄妙而反浅陋矣。"他认为，按照净土三经一论的理论，净土往生法门应以"去则决定去，生亦决定生"的"人境俱不夺为宗"。也就是说，修净土者应当明了，一切唯心，一切唯识，"心外无境，境外无心"，心境"自他不二"之理。(以上见《十宗略说》)具体地说，不仅"大地山河，目前万物，唯识所现，了无实体"(《与释幻人书二》，《杂录》卷五)，即便是"庄严净土，总不离唯识变现也"(《与桂柏华书二》，《杂录》卷六)。或者说，"当知一真法界，回绝思议。以言其体，则纤尘不立；以言其用，则万有齐彰。娑婆既唯心所现，极乐岂外乎唯心?"(《西方极

---

① 杨氏在《重刊净土四经跋》中也说："予初闻佛法，惟尚宗乘，见净土经论辄不介意，以为著相庄严，非了义说。及见云栖(袾宏)诸书，阐发奥旨，始知净土一门普被群机，广流末法，实为苦海之舟航，入道之阶梯也。"(《杂录》卷三)

② 杨氏除在《等不等观杂录》的许多书信、序跋中有谈论净土理论着外，其专著有《观无量寿佛经略论》、《无量寿经优婆提舍愿生偈(《往生论》)略释》、《坛经略释》(专释"身中净土"一节)，以及评论日本净土真宗教旨的《阐教篇》等。

乐世界依正庄严圆图跋》,《杂录》卷三)①这样,境(西方弥陀)、心(自性弥陀)就无彼此之别了。唐善导创立的净土法门是倡导"指方立相"的,即西方有净土,心外仰弥陀。他在《观无量寿佛经疏》中说:"今此观门等,唯指方立相、住心而取境,总不明无相离念也。"宋王日休在《龙舒净土文》中说:"世有专修禅者,云唯心净土,岂复有净土?自性弥陀,不必更见弥陀!此言似是而非也。"此后,在这一问题上多有争议。杨氏在这里虽然是指责"拨置西方弥陀"的倾向,然而就其整个理论论证来看,则显然是吸收了唯识、华严、禅宗等一切唯心、一切唯识、明心成佛等理论,从而把"自性弥陀"的思想与传统净土立相取境的思想调和起来。②

杨氏融会禅净之旨,还表现在他宣扬截断前后际,以当前一念、现前一句为往生正因的理论上。所谓忽然前后际断,彻见本来面目,原是禅宗顿悟见性的工夫。杨氏将此工夫融入念佛法门,认为"用当念一句为主,截断前后际,是烦杂中念佛之捷径。"(《与李

---

① 杨氏在《与李澹缘书一》中也阐发了这一思想。他对于李氏关于"将来诸佛转娑婆为净土之际"的说法,予以指正说:"此见道未深,故作此想。"他认为:"当知娑婆是众生妄业所感,犹如空华,本无实体。净法界中,极乐、娑婆皆不可得。而弥陀以大愿力显现极乐国土,如镜花水月,摄受众生,入不退地。若以质碍心求之,去道远矣。娑婆世界,释迦佛大悲心所化之境,一切菩萨修种种难行苦行,均于此土修之。菩萨入空三昧,则世界了不可得;入如幻三昧,则世界宛然。是谓空有无碍,一念全收,不待将来转移也。"(《杂录》卷六)

② 杨氏盛赞宋延寿"提唱禅宗,指归净土,尤为古今所未有也。"(《般若波罗蜜多会演说一》,《杂录》卷一)可见他融会禅净是有所本的。又,他特别提出《坛经》中关于"身中净土"一节,作了《略释》。如说:"一往以理夺事,正与以事显理相反。净土人不造罪,故栖神微妙。入华严之玄,圆超东土西方,何肯造罪?人能以念佛心入无生忍,六祖虽很,决定骂不着。"此外,他在《重刊净土四经跋》中,对证自性弥陀也有肯定之词。他说:"伏愿世间修佛乘者,毋于净土便生轻慢。须信念佛一门,乃我佛世尊别开方便,普度群生之法。倘不知其义旨深微,但能谛信奉行,自有开悟之期。知其义者,正好一心回向,万行圆修,转五浊为莲邦,证弥陀于自性。是则予之所厚望焉。"(《杂录》卷三)

澹缘书四》,《杂录》卷六)他在解释昙鸾所谓"无后心,无间心"一语时说:"人命在呼吸间,何能存此后心? 无论千念万念,只用当念一句以为往生正因。前句已过,后句正出,亦在当念。如是,则心不缘过去,不缘未来,专注当念一句,是谓事一心,无论何时,可以往生。久久纯熟,当念亦脱,便入理一心,生品必高。其无间心,即是无后心之纯一境界也。"(《与黎端甫书》,《杂录》卷六)①《观无量寿佛经》宣称世恶五逆之人,只要在临终时一念称名(称阿弥陀佛名),即得往生。对此,杨氏从两个方面作了解释:一是说,一切众生都具佛性,与诸佛无二无别,因此得生净土。②一即是说,当念之下即能前后一时顿现,与弥陀愿力相接,一刹那而生净土。他说:"以理论之,下品生这,见佛闻法,无如是之速。染称性法门。无前无后,一时顿现,虽千百年后之事,亦于顷刻间悉见悉闻。所谓长时作短时,短时作长时,非凡夫意识所能测度也。十万亿佛土,天仙神力亦不能到,而念佛者与弥陀愿力相接,一刹那顷即生彼土。真净界中,有何隔阂之有哉!"(《与沈雪峰书》,《杂录》卷五)净土法门有如此之速,如此之妙,难怪杨文会盛赞曰:"此念佛往生一门,为圆顿教中之捷径也。"(《十宗略说》)

持名一法是净土法门中最为简易之法,因此有的净土宗派就专主持名。杨文会认为,专主持名者如能"信愿切至",则亦得往生净土。但按照净土三经的根本教义来讲,则"此宗以观想、持名兼

---

① 杨氏在《佛教初学课本注》中也说:"千句万句,即是一句。前句已灭,后句未生,当念一句,刹那不住。念佛之心,不缘过去,不缘未来,但缘现前一句,以为往生正因。此是万修万人去之法也。久久纯熟,能缘之心忽然脱落,无念而念,念即无念,即名理一心,生品更高。"

② 杨氏在《佛教初学课本注》中说:"一切众生本原性地,与十方诸佛无二无别,虽造极重恶业,受无量苦报,而本性未尝染也。一念回光,如来悉知悉见,以同体大悲,摄归净域,觉非业力所能牵缠。世人云带业往生者,随情之言耳。实则善恶因果皆如空花,空本无花,捏目所成,岂有业之体相为亡人所带,而往生净土哉!"

修为上。"(《十宗略说》)杨氏在《观无量寿佛经略论》中说："净土宗者,三经为本。大经(《无量寿经》)推崇本愿,此经专重观想,小经(《阿弥陀经》)专主持名。近代诸师,以观法深微,钝根难入,即专主持名一门。若观想迳可不用,何以大小二经皆详演极乐世界依正庄严耶?"杨氏对唐善导所谓"望佛本愿,意在专称佛名"的说法,提出异议。他指出,如果佛专重持名,则在《观经》中为什么谆谆以观想之法教导韦希提呢?因此杨氏认为,观想与持名不是判然两途的,而是互相融摄的。他在《评日本僧一柳读观经眼》一文中,十分明确地说道:"《观经》末云:'佛告阿难,汝好持是语。持是语者,即是持无量寿佛名。'好持是语一句,嘱其持上文所说之观法,即是持无量寿佛名一句,明观想与持名互摄也。佛恐后人视观想与持名判然两途,故作此融摄之语以晓之。"(《杂录》卷四)杨氏在《观经略论》中还对《观经》所述的十六观法和九品往生等作了简要的疏论,其中颇多融会华严圆融无碍之理,[①]而发前人之所未发。如他在疏论第十二观"普观想"时认为,达到此行者,已超上品上生,而所以如此,是由于这种观想所达到的境界是事事无碍法界。[②]又如,他在疏论第十三观"杂想观"时,特别提出华严与极乐在教理上的一致性。他说:"菩萨行门,不出二种:一者上求佛道,二者下化众生。……前之观法,全以自心投入弥陀愿海;后之观法,全摄弥陀愿海归入自心。如是重重涉入,周遍含容,谁谓华严、极乐有二致耶?"又说:"观行者,从无始时来,具有种种善恶之业,无量差别,今于一念观中,九品往生而度脱之,所谓法界众生即自性众生,无二无别,非一非异。如此妙法,非入不思议解脱境界,其孰能与于

---

① 杨氏自称其"净土之缘,因于莲池",对明代名僧袾宏十分推崇。他在评论袾宏撰《阿弥陀经疏钞》时说:"用贤首家法,一事一理,逗机正说。"(《佛学书目表》,《杂录》卷二)所以,他以华严教理融入净土观法中,可能是受了袾宏的影响。

② 《观无量寿佛经略论》中说:"此位行人,入观时即娑婆现极乐,出观时即极乐现娑婆。娑婆极乐,相即相入,无碍无杂,以华严十玄门准之,岂非事事无碍法界耶!"

斯!"这是说,净土观想法门深妙之处,与华严圆融无碍之旨,同入不思议解脱境界,并无二致。这完全是杨氏以华严教理对《观经》理论的一种发展。

此外,杨氏在《观经略论》等著作中,还对念佛与称名的区别作了说明。如他说:"念佛与称名有异。心中忆念,名为念佛;口称名号,名为称名。极恶众生,病苦所逼,心不能念,但能口称佛名,如呼父母,痛切之声与弥陀大悲相应,故得往生。"(《观无量寿佛经略论》)他对日本净土真宗把念佛与称名相混,判念佛即是口念佛号,提出批评。他说:"念者,心念也;称者,口称也。今云声即是念,念即是声,误矣。"所以,"专以持名为念佛,而观想等法均判在念佛之外,非经意也。"(《阐教编·评〈选择本愿念佛集〉》)他认为,"称名本在念佛之内,饿执定念佛必局于称名,则于经意不贯。"(《阐教编·评小栗〈念佛圆通〉》)这也就是说,念佛是包括持名、观想等法在内的一个总概念,因此"《观经》所说十六法门,无一不是念佛法门。"如果具体地分述,则"念佛有多门:念佛名号,念佛相好,念佛光明,念佛本愿,念佛神力,念佛功德,念佛智慧,念佛实相"等,都包括在念佛法门之中。(《阐教编·评〈选择本愿念佛集〉》)杨氏指出这一区别,目的是为了强调观想的重要。

净土一门到后来越趋简易,以至认为只须念佛持名,观想庄严乐土佛相,即可借弥陀愿力,往生净土佛国,而不须要研读经论。杨氏则认为,单持名号或一心专念,日久易于疲懈,甚至走入歧途,"故必以深妙经论,消去妄情,策励志气,勇锐直前,方免中途退堕也。"(《学佛浅说》,《杂录》卷一)此处所谓"深妙经论",即是指净土的基本经论:《无量寿经》、《阿弥陀经》、《观无量寿佛经》和《往生论》。所以杨氏又说:"念佛法门,普摄三根,中人以上,宜以三经一论为津梁。"(《与李澹缘书一》,《杂录》卷六)又,杨氏认为,净土一门最早由普贤菩萨揭出,因此他把《华严经·普贤行愿品》也看做是净土的重要经典之一,劝人读诵。①杨文会一贯强调必须深研经论,才能领会佛性要旨,其于净土法门自亦不能例外。而就修净土法门来讲,研读三经一论亦是初步入门的要求而已。他还经常提到要与《大乘起信论》一并诵读研究。如他在《与吕逸夫书》中说:"念佛法门,则时时可行,其得力甚速也,入门方法以研究内典为本。"接着就提出,"须将《大乘起信论》读诵纯熟,再看《纂注》、《直解》、《义记》②三种注解,由浅入深,次第研究。"(《杂录》卷六)又,在《与黎端甫书》中也说:"欲明佛法深义,须研究《起信论》,并将净土三经及《往生论》时时阅之,于出世法门自能通达矣。(同上)若能更进而研读《楞严》、《楞伽》、《华严》、《法华》等经,则净土法门之修行即可达于圆满矣。③

在杨文会阐发的净土理论中,最具特色者就是他大力倡导的自他二力并重的旨趣。按念佛往生净土法门来讲,众生发愿往生西方净土,是与弥陀佛的本愿相应,是要仰仗弥陀佛接引之神力的,亦即是以他力信仰为主的。因而,即使临命终是一念皈依,或一句称佛,也能蒙佛接引,往生净土。这样,对于自身修行,自性觉解的自力,在净土法门看来就不是十分重要的了。当时有日本净

---

① 魏源编《净土四经》即以《普贤行愿品》(即八十《华严》之末《入法界品》)与三经合刻。杨文会在重刻《净土四经》的跋中说:魏源汇刻此集,"使世之习净业者,但受此本,无不具足。"(《杂录》卷三)

② 此指明真界注《大乘起信论纂注》、明德清注《大乘起信论直解》和唐法藏著《大乘起信论义记》。杨氏在《佛学书目表》中对《义记》评论道:"法藏作《记》,曲尽其妙,学者熟读深思,自能通达三藏教海。"而对《纂注》评论说:"取贤首《疏》,长水(子睿《笔削记》)删繁就简,纂辑成文,以便初学。"对《直解》评论说:"称性直谈,雅合禅门之机。"又说:"以上两种,可作《义记》先导。"(《杂录》卷二)

③ 杨氏在《与李澹缘书一》中,谈到念佛法门宜以三经一论为津梁后,接着便说:"更以《大乘起信论》为入道之门。通达此论,则《楞严》、《楞伽》、《华严》、《法华》等经自易明了。盖弥陀因地修行,不外此道;往生西方之人,在彼土修行,亦不外此道。是谓师资道合,生品必高也。"(《杂录》卷六)

土真宗僧人,甚至根本排斥任何自力修行,大肆宣扬净土主旨为提倡他力,创立所谓"纯他力教"。为此,杨氏与日本净土真宗的僧人们反复进行论辩,[①] 并详细地论述了他关于自他二力并重的观点。

杨氏反复声称:"凡具信心发愿往生者,临命终时,皆仗弥陀接引之力,故能万修万人去也。然往生虽仗他力,而仍不废自力,故以修字勉之。"(《般若波罗蜜多会演说三》,《杂录》卷四)因此,净土一门必须"既信他力,复尽自力"。(《十宗略说》)杨氏认为,日本净土真宗把净土门与圣道门截然分开,把念佛往生(他力)与诸行往生(自力)对立起来,是违背经意的。他强调指出:"圣道为十方刹土解脱之门径,生西方净土之人,亦由圣道而证妙果。""弥陀既发大愿,勤修圣道,方得圆满。"因此,"净土亦是圣道无量门中之一门","若在初修时唱言舍圣道,便是违背净土宗旨矣。"(《阐教编·评〈真宗教旨〉》)[②]真宗学者强调往生信心全从他力而发,声称"归命之心,非从我生,从佛敕生,故名他力信心。"杨氏则认为,"能领佛敕者,自心也,故仍从自心生。"他甚至极而言之曰:"实论之,信心者,自心所起也;他力者,自心所见之他力也。除却现前一念,复何有哉!"进而再透彻论之,则"自他皆是假名,废假名之自,而立假名之他,妙用无方,以龟毛易兔角,幸勿执为实法也。"(同上)他指出,"后世有重自力者,令人疑虑不决,有碍直往之机。又有专重他

---

① 杨氏与日本净土真宗僧人的辩论,主要材料后来都编集在《阐教编》一卷中。此外在部分书信中也有一些有关材料。《阐教编》包括以下内容:《阐教刍言》、《评〈真宗教旨〉》、《评〈选择本愿念佛集〉》、《评小栗栖〈阳驳阴资辨〉》、《评小栗栖〈念佛圆通〉》,以及《杂评》等。

② 杨氏在《评小栗栖〈念佛圆通〉》中也指出:"佛说净土门是防退之法,仗弥陀愿力,往生西方,永无退缘,必至成佛也。是以专修净土,即得圆成圣道门。若唱舍圣道,即是舍净土。盖净土由弥陀修圣道而成也。"又,他早年在《与南条文雄书二》中也认为:"提倡宗旨(指净土宗旨),似不必全遮圣道。盖一类世智辩聪之流,不向圣道门中体究一番,则不能死心塌地归依净土也。"(《杂录》卷七)

力者,以致俗缘不舍,空负慈尊之望。"因此,不应当执着自他之名而对立之,而应当互摄互融。他自二力之不可偏废,就"如车两轮,如鸟两翼,直趋宝所,永脱轮回矣。"(《般若波罗蜜多会演说三》,《杂录》卷一)

　　杨氏认为,在信仰他力的同时,提倡尽自力的必要性,至少有两点理由:首先,发愿往生西方净土的信心,须有自力而生。他说:"他力普遍平等,而众生有信不信,岂非各由自力而生信乎?"(《阐教编·评〈真宗教旨〉》)"平心论之,虽以他力为所信,仍以自力为能信也。"(《阐教编·杂评》)其次,于此法门中,"生品之高低,见佛之迟速,证道之浅深,受记之先后,皆在自力修行上分别等差。"(《般若波罗蜜多会演说三》,《杂录》卷一)总之,"凡夫往生,全仗佛力,而以自力为阶降之差,此千古不易之定论也。"(《评日本僧一柳纯他力》,《杂录》卷四)此外,真宗还判发菩提心为自力杂行,而予以排斥。杨氏对此也提出尖锐批评,他说:"佛由菩提心成,犹之饭由米成。今欲吃饭而不准用米,试问不得饭乎?

　　今欲念佛而不准发菩提心,试问可见佛乎? 佛者,究竟菩提也。舍菩提心则无由得佛,犹之舍米无由得饭也。"(《阐教编·杂评》)杨文会倡导的净土法门自他二力并重的旨趣,有其不少独到的见解。他与日本净土真宗僧人之间的辩论,是净土宗内部不同派别对经义的不同理解和所提倡的不同宗趣。杨氏自称对佛法理论一向取慎重态度,一般不轻易谈论。他对真宗的评论,是抱着"愈辩而愈明,彼此均有利益"(同上)的愿望进行的,发扬了良好的学风。[1]

---

　　① 杨氏在《与南条文雄书二十二》中,提到他对《选择本愿念佛集》和《真宗教旨》批评之事。他说:"弟与阁下交近二十年,于佛教宗趣未尝讲论,今因贵宗将遍传于地球,深愿传法高贤酌古准今,期与如来教意毫不相违,则净土真宗普度群生,无量无边矣。"(《杂录》卷八)

　　杨文会深信宗教感化人心的力量,他说:"地球各国皆以宗教维持世道人心,使人人深信善恶果报毫发不爽,则改恶迁善之心,自然从本性发现,人人感化,便成太平之世矣。"(《南洋劝业会演说》,《杂录》卷一)他更坚信佛教所明真性不灭,因果轮回、造业受报等理论,能令人不造恶因,免受苦果。所以说,佛教倡导的自度功毕,度他不休,诚可与世间法相辅而行,而绝非虚无寂灭之谈也。可见,杨氏是一位虔诚的佛教信徒。但是,他更是一位严肃认真研究佛法深义的佛教学者。他曾说:"仆但劝人学佛,而不劝人出家。因出家者虽众,而学佛者甚少也。且投师最难,曾有相识者为师所拘,反不如在家之得自由也。(《与桂柏华书一》,《杂录》卷六)因此,他五十年的学佛生活,在振兴近代佛教文化,整理刊刻佛教典籍,推进学术界对佛教文化的研究和培养佛性研究人材等方面,都作出了重要的贡献,是应当予以充分肯定的。

图书在版编目(ＣＩＰ)数据

中日近现代佛教的交流和比较研究/楼宇烈主编．－北京:宗教文化出版社,2000.6
ISBN 7－80123－277－1
Ⅰ.中… Ⅱ.楼… Ⅲ.①佛教－国际交流－中国、日本②佛教－对比研究－中国、日本
Ⅳ.B948－53
中国版本图书馆 CIP 数据核字(2000)第 27641 号

中日近现代佛教的交流和比较研究

楼宇烈　主编

出版发行:	宗教文化出版社	
地　　址:	北京市交道口北三条 32 号　(100007)	
电　　话:	64023355－2504	
责任编辑:	霍克功	
封面设计:		
印　　刷:	通县向阳印刷厂	

版权专有　　不得翻印

版本记录:	850×1168 毫米　32 开本　4.5 印张　113 千字
	2000 年 6 月第 1 版　2000 年 6 月第 1 次印刷
印　　数:	1—1000
书　　号:	ISBN 7－80123－277－1/K·87
定　　价:	12.00 元